NUEVA EDICIÓN

GENTE JOVEN 3

CURSO DE ESPAÑOL PARA JÓVENES

Encina Alonso Arija
Matilde Martínez Sallés
Neus Sans Baulenas

Autoras: Encina Alonso, Matilde Martínez, Neus Sans

Coordinación editorial y redacción: Laia Sant

Diseño y maquetación: Besada+Cukar

Glosario: Ana Belén Escourido (selección), Sheila Hardie, Beatriu de Haro y Milica Sandrine Kecman (traducción).

Ilustraciones: Martín Tognola, excepto: Javier Andrada (págs. 49 y 51), Òscar Domènech (págs. 12 y 24-25), David Carrero (pág. 34), Man (págs. 13, 28 y cómic *La peña del garaje*), David Revilla (págs. 26-27, 35, 41, 56, 86 y 87).

Fotografías: Cubierta: Gerard Kota 2014; **Unidad 1** pág. 10 Gerard Kota 2014; pág. 11 Gerard Kota 2014, ClaudiosPics/Fotolia, Iancucristi/Dreamstime; pág. 14 Sveter/iStockphoto; pág. 15 Lisa Fyoung/Fotolia, Gerard Kota 2014, eldorado/Fotolia, Scott Griesse/Dreamstime; pág. 16 Saul Tiff; pág. 17 Jaume Perich; pág. 20 Junta de Castilla y León (España), Gobierno de Navarra (España), Natalia Merzlyakova/Fotolia, Difusión; pág. 21 Difusión, Danhowl/Dreamstime; pág. 22 Ivonne Wierink/Dreamstime, Ronen/iStockphoto; pág. 23 Lavigna/Dreamstime; **Unidad 2** pág. 30 Susan Leggett/Dreamstime; pág. 31 Andy Dean/Fotolia; pág. 35 Difusión, www.coleccionesfundacionmapfre.org/Daniel Vazquez Diaz; pág. 36 Saul Tiff; pág. 37 Saul Tiff; **Unidad 3** pág. 38 Librerías Gandhi, Ministerio de Agricultura, Alimentación y Medio Ambiente (España); pág. 39 Campaña para el fomento del uso de la bicicleta como medio de transporte. 2010, Año de la Movilidad Sostenible. Fundación Alfredo Harp Helú Oaxaca, Casa de la Ciudad, Mundo Ceiba A.C., ITDP México y Zona Bici. Oaxaca de Juárez, Oaxaca. México. 2010, Librerías Gandhi; pág. 40 Michael Rubin/Dreamstime, Light Impression/Fotolia, Peter Close/Dreamstime; pág. 43 viperagp/Fotolia, Gerard Kota 2014; pág. 45 Gerard Kota 2014; pág. 48 Cruz Roja Colombiana, Médicos Sin Fronteras, Intermón Oxfam, Christian Aslund/Greenpeace; pág. 49 PedroBeruvides/Granma, Difusión; pág. 50 Saul Tiff; **Unidad 4** pág. 52 Ryan McVay/Getty, Ariel Skelley/Getty; pág. 53 Angela Harburn/Fotolia, Peter Lecko/123RF, sarah5/Fotolia, fairtradeworks.biz; pág. 54 Gerard Kota 2014; pág. 55 Gerard Kota 2014, Saul Tiff; pág. 58 Canal Google Glass/Youtube, Gregory Johnston/Fotolia, www.diariodeavisos.com; pág. 59 Geebshot/iStockphoto, newlaunches.com, Paul Vinten/Fotolia, Martin Oeggerli/National Geographic Society; pág. 62 metroecuador.com.ec, pensandoelterritorio.com, Lu2006/Dreamstime, Paul Van Slooten/Dreamstime, Tom Wang/Dreamstime, Eric Gevaert/Dreamstime; pág. 63 Difusión; pág. 64 Gerard Kota 2014; pág. 65 Zhudifeng/Dreamstime; **Unidad 5** pág. 66 Vhcreative/Dreamstime, Danielle Pereira/Flickr, Nico Kaiser/Flickr, elmundoenmimaleta.com; pág. 67 Daniel Lobo/Flickr, Ooznu/Flickr, Manuel Martín Vicente/Flickr; pág. 68 Difusión, Anibal Trejo/Dreamstime, laszlolorik/Fotolia, Pascal Martin/Fotolia, Starpics/Fotolia, Anatoly Kolodey/Fotolia; pág. 69 Maigi/Dreamstime, Stockexpert; pág. 70 otroscaminos.com, Paco Ayala/Photaki, Jesús Puertas/Photaki, Pedro Antonio Salaverría Calahorra/Dreamstime, motrilturismo.com, Brenda Kean/Dreamstime; pág. 71 Saul Tiff; pág. 72 Francisco Javier Gil/Photaki; pág. 73 Fernando Álvarez/Photaki, Carlos Mora/Dreamstime; pág. 76 francofa/Fotolia, dko/Fotolia, Mary Evans/ACI Agencia de Fotografía, acuerdos.cl, 2008 Fundación Violeta Parra, demarfa/Fotolia; pág. 77 puertosdelconosur.cl, Difusión, Longtaildog/Dreamstime, Iakov Filimonov/Dreamstime, Leandro Oroz_Wikimedia Commons; pág. 78 Gerard Kota 2014; pág. 79 King Ho Yim/Dreamstime, Getty Images; **Unidad 6** pág. 80 V&P Photo Studio/Fotolia, agregaeducacion.es, Monkey Business/Fotolia, Difusión, Susanne Neal/Dreamstime, Juanmonino/iStockphoto, BartCo/iStockphoto; pág. 81 RichVintage/iStockphoto, Alain Lacroix/Dreamstime, Studio/Dreamstime, Nenov Brothers Images/Photaki, Eurobank/iStockphoto, Photoeuphoria/Dreamstime, creative studio/Fotolia, Кирилл Рыжов/Fotolia; pág. 82 Gerard Kota 2014, García Ortega; pág. 83 Laia Sant; pág. 84 Domen Colja S.p./Dreamstime; pág. 85 Scanrail/Dreamstime, Gerard Kota 2014; pág. 91 Difusión, indeportesbocaya.gov.co, FCBP/Wikimedia Commons, delospirineosalosandes.wordpress.com; pág. 92 Gerard Kota 2014, Saul Tiff; pág. 93 Gerard Kota 2014
Todas las fotografías de Flickr.com y Wikimedia Commons están sujetas a licencias de Creative Commons (Reconocimiento 2.0 y 3.0).

Locuciones: Carmen Ambrós, Yaheydy Aranza, Antonio Béjar, Montse Belver, Iñaki Calvo, Cristina Carrasco, Loren Cartagena, Joshua Cortés, Pablo Garrido, Daniel García, Esther Gil, Adriana González, Patricia Gruber, Judith Gutiérrez, Joel León, Raúl López, Raquel López, Albert Martín, María Ángeles Martínez, Xavier Miralles, Rosa Moyano, Mocho, Núria Murillo, Jorge Peña, Berenice Puntillo, Santiago Puntillo, Nathalia Ramírez, Marc Rúa, Juan Carlos Salamanca, Judith San Segundo, Núria Sánchez, Laia Sant, David Serra, Víctor Torres, Práxedes de Villalonga. **Técnico de sonido:** Blind Records.

Canciones y programas: Unidad 1 La oreja de Van Gogh, 2003 Sony Music Entertainment (Spain) S.A.; **Unidad 2** Joaquín Díaz, 2012 Warner Music Spain, S.L.; Al Castellanos, 2009 Vintage Music; **Unidad 3** Ana Belén y Víctor Manuel, 1994 BMG Ariola S.A.; **Unidad 4** Maná, 1992 Warner Music México, S.A. de C.V; **Unidad 5** Joan Manuel Serrat, 2000 BMG Music Spain, S.A.; **Unidad 6** pág. 87 Corporación de Radio y Televisión Española (2008, 2010 y 2013) y Cadena COPE (2014).

Agradecimientos: Nieves Álvarez, Beatriz Amieva, Sira Antoni, Xavi Casanovas, Miquel Colls, Marta Fuenbuena, Gladys Dalmau de Ghioldi, Alicia González y Adriana González, Mariana Güido, Martí Gumbert, Sam Gutiérrez, Sara Gutiérrez, Catherine López, Lucía Izquierdo, Ana Lumbreras, Mercè Martínez, Albert Miquel, Eduard Miquel, Judith Mir, Lee de Nur, María Dolores Oteiza, Nadav Palti, Luciana Renner (Casa de la Ciudad de Oaxaca), Fernando Rendón, Núria Ribalta, Dani Roca, Ana Rozados, Domingo Torres, Nacho Urbina, Mercé Vehí y Pol Wagner.

IES Mercè Rodoreda de L'Hospitalet de Llobregat (Barcelona), a su profesor Josep Bernaus **y a sus alumnos:** Alba Aranda, Marc Cases, Mar Estanyol, Joel León, Raúl López, Jaime Montes, Nathalia Ramírez y Gisela Ros.

ISBN: 978-84-15846-31-4
Depósito legal: B 925-2015
Reimpresión: octubre 2017
Impreso en España por Gómez Aparicio

C/ Trafalgar, 10, entlo. 1ª
08010 Barcelona
Tel. (+34) 93 268 03 00
Fax (+34) 93 310 33 40
editorial@difusion.com

www.difusion.com

Gente joven Nueva edición está diseñado siguiendo el enfoque por tareas. ¿Qué quiere decir esto? Pues que creemos que las lenguas se aprenden sobre todo haciendo cosas interesantes y divertidas con ellas. Se aprende a hablar hablando y a escribir, escribiendo, igual que se aprende a bailar o a jugar al fútbol practicando.

Cada unidad empieza con una portadilla en la que se explica qué **proyecto** vas a hacer, qué **competencias** vas a desarrollar y qué **estructuras lingüísticas** vas a necesitar.

A partir de una serie de **imágenes** y de **ejemplos de lengua en contexto** vas a entrar en contacto con el tema de la unidad.

unidad 1

MIS AMIGOS Y YO

NUESTRO PROYECTO: VAMOS A CREAR UN FORO SOBRE LA AMISTAD DONDE PLANTEAREMOS PROBLEMAS Y DAREMOS CONSEJOS.

VAMOS A...
- leer un test psicológico, un artículo sobre los adolescentes y una campaña contra el acoso escolar;
- escuchar conversaciones sobre la amistad y un consultorio radiofónico;
- escribir sobre la amistad (relaciones, problemas...);
- mostrar acuerdo y desacuerdo respecto a un artículo y dar consejos sobre problemas en la adolescencia;
- hablar sobre las características y la personalidad de los adolescentes y sobre la amistad;
- ver a varios adolescentes que nos hablan sobre sus amigos y sobre la amistad.

VAMOS A APRENDER...
- los posesivos tónicos: **un amigo mío**,
- algunos verbos pronominales: **llevarse bien / mal, caer(le) bien / mal, ponerse contento / triste / ...**;
- a expresar la duración: **hace / desde hace, hace... que...**;
- las perífrasis **dejar de, empezar a** y **convertirse en**;
- a expresar acuerdo y desacuerdo: **es verdad que... no estoy de acuerdo con...**;
- conectores para ordenar, contrastar y reformular la información: **en primer lugar, por un lado, es decir...**;
- el carácter y los estados de ánimo con **ser, estar** y **ponerse**;
- léxico sobre el carácter, los estados de ánimo y las relaciones personales.

10 diez

Sandra y sus amigos

A. ¿Quiénes son estas personas en la vida de Sandra? Completa.

Enrique es un amigo suyo.
Héctor es...
Ana María y Carla y son...
Susana es...
Sofía es...

B. ¿Cómo es el carácter de cada uno, según Sandra?

C. ¿Con quién se lleva bien? ¿Con quién tiene problemas?

once 11

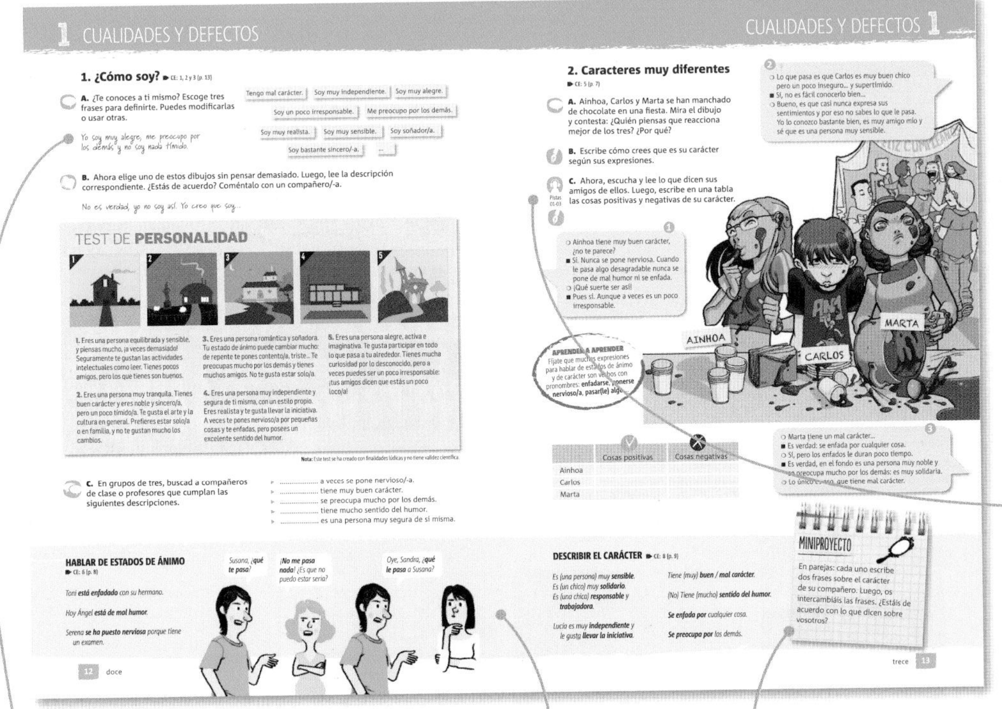

1 CUALIDADES Y DEFECTOS

1. ¿Cómo soy? CE: 1, 2 y 3 (p. 13)

A. ¿Te conoces a ti mismo? Escoge tres frases para definirte. Puedes modificarlas o usar otras.

Tengo mal carácter. | Soy muy independiente. | Soy muy alegre. | Soy un poco irresponsable. | Me preocupo por los demás. | Soy muy realista. | Soy muy sensible. | Soy soñador/a. | Soy bastante sincero/-a. | ...

Yo soy muy alegre, me preocupo por los demás y no soy nada tímido.

B. Ahora elige uno de estos dibujos sin pensar demasiado. Luego, lee la descripción correspondiente. ¿Estás de acuerdo? Coméntalo con un compañero/-a.

No es verdad, yo no soy así. Yo creo que soy...

TEST DE **PERSONALIDAD**

1. Eres una persona equilibrada y sensible, y piensas mucho, ¡a veces demasiado! Seguramente te gustan las actividades intelectuales como leer. Tienes pocos amigos, pero los que tienes son buenos.

2. Eres una persona muy tranquila. Tienes buen carácter y eres noble y sincero/a, pero un poco tímido/a. Te gusta el arte y la cultura en general. Prefieres estar solo/a o en familia, y no te gustan mucho los cambios.

3. Eres una persona romántica y soñadora. Tu estado de ánimo puede cambiar mucho: de repente te pones contento/a, triste... Te preocupas mucho por los demás y tienes muchos amigos. No te gusta estar solo/a.

4. Eres una persona muy independiente y segura de ti misma, con un estilo propio. Eres realista y te gusta llevar la iniciativa. A veces te pones nervioso/a por pequeñas cosas y te enfadas, pero posees un excelente sentido del humor.

5. Eres una persona alegre, activa e imaginativa. Te gusta participar en todo lo que pasa a tu alrededor. Tienes mucha curiosidad por lo desconocido, pero a veces puedes ser un poco irresponsable: ¡tus amigos dicen que estás un poco loco/a!

Nota: Este test se ha creado con finalidades lúdicas y no tiene validez científica.

C. En grupos de tres, buscad a compañeros de clase o profesores que cumplan las siguientes descripciones.

- .... a veces se pone nervioso/-a.
- .... tiene muy buen carácter.
- .... se preocupa mucho por los demás.
- .... tiene mucho sentido del humor.
- .... es una persona muy segura de sí misma.

HABLAR DE ESTADOS DE ÁNIMO CE: 6 (p. 8)

*Toni **está enfadado** con su hermano.*

*Hoy Ángel **está de mal humor**.*

*Serena **se ha puesto nerviosa** porque tiene un examen.*

12 doce

CUALIDADES Y DEFECTOS 1

2. Caracteres muy diferentes CE: 5 (p. 7)

A. Ainhoa, Carlos y Marta se han manchado de chocolate en una fiesta. Mira el dibujo y contesta: ¿Quién piensas que reacciona mejor de los tres? ¿Por qué?

B. Escribe cómo crees que es su carácter según sus expresiones.

C. Ahora, escucha y lee lo que dicen sus amigos de ellos. Luego, escribe en una tabla las cosas positivas y negativas de su carácter.

Pistas 01-03

APRENDER A APRENDER
Fíjate que muchas expresiones para hablar de estados de ánimo y de carácter son verbos con pronombres: **enfadarse, ponerse nervioso/a, pasar(le) algo**.

	Cosas positivas	Cosas negativas
Ainhoa		
Carlos		
Marta		

DESCRIBIR EL CARÁCTER CE: 8 (p. 9)

*Es (una persona) muy **sensible**.*
*Es (un chico) muy **solidario**.*
*Es (una chica) **responsable** y **trabajadora**.*

*Lucía es muy **independiente** y le gusta **llevar la iniciativa**.*

*Tiene (muy) **buen / mal carácter**.*

*(No) Tiene (mucho) **sentido del humor**.*

***Se enfada por** cualquier cosa.*

***Se preocupa por** los demás.*

MINIPROYECTO

En parejas: cada uno escribe dos frases sobre el carácter de su compañero. Luego, os intercambiáis las frases. ¿Estáis de acuerdo con lo que dicen sobre vosotros?

trece 13

En las páginas siguientes, encontrarás una serie de **actividades**. Leyendo y escuchando los textos, jugando, haciendo teatro, escribiendo solo o en grupo, etc. vas a descubrir cómo funciona el español y vas a practicarlo en situaciones de comunicación auténtica con tu profesor y tus compañeros.

Este icono indica el número de pista del **CD audio** que tienes que escuchar para hacer la actividad.

En las actividades y los ejercicios encontrarás **ejemplos** como este para saber lo que tú y tus compañeros tenéis que decir o escribir.

En las páginas de actividades encontrarás **ayudas léxicas y gramaticales** y modelos para poder imitar y usar.

Al terminar una doble página de actividades podrás poner en práctica todo lo que has aprendido con un **miniproyecto**. Para lograr el objetivo propuesto, necesitarás cooperar con tus compañeros y poner en juego varias competencias en lengua española.

En la sección de ***Palabras y reglas*** podrás estudiar y seguir practicando las reglas y el vocabulario que necesitas mediante ejercicios centrados en un único tema lingüístico.

También dispondrás de **presentaciones muy visuales de aspectos léxicos** importantes en la unidad que te ayudarán a memorizar y a practicar el nuevo vocabulario.

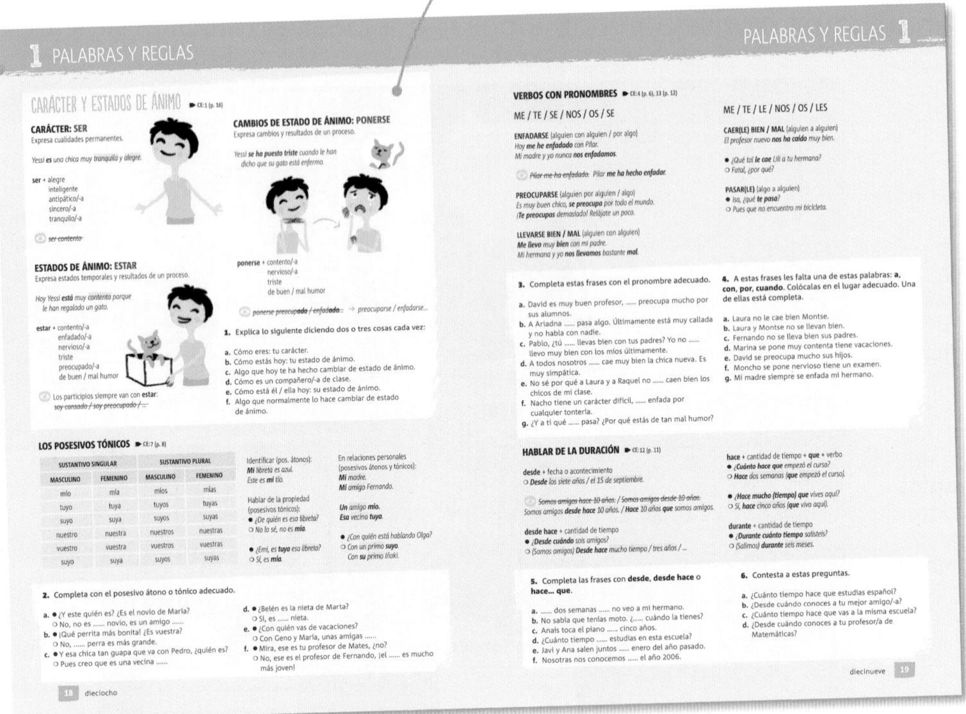

1 PALABRAS Y REGLAS

CARÁCTER Y ESTADOS DE ÁNIMO

CARÁCTER: SER
Expresa cualidades permanentes.

Yessi es una chica muy tranquila y alegre.

ser + alegre, inteligente, antipático/-a, sincero/-a, tranquilo/-a

ESTADOS DE ÁNIMO: ESTAR
Expresa estados temporales y resultados de un proceso.

Hoy Yessi está muy contenta porque le han regalado un gato.

estar + contento/-a, enfadado/-a, nervioso/-a, triste, preocupado/-a, de buen / mal humor

CAMBIOS DE ESTADO DE ÁNIMO: PONERSE
Expresa cambios y resultados de un proceso.

ponerse + contento/-a, nervioso/-a, triste, de buen / mal humor

1. Explica lo siguiente diciendo dos o tres cosas cada vez:
a. Cómo eres: tu carácter.
b. Cómo estás hoy: tu estado de ánimo.
c. Algo que hoy te ha hecho cambiar de estado de ánimo.
d. Cómo es un compañero/-a de clase.
e. Cómo está él / ella hoy: su estado de ánimo.
f. Algo que normalmente lo hace cambiar de estado de ánimo.

LOS POSESIVOS TÓNICOS

SUSTANTIVO SINGULAR		SUSTANTIVO PLURAL	
MASCULINO	FEMENINO	MASCULINO	FEMENINO
mío	mía	míos	mías
tuyo	tuya	tuyos	tuyas
suyo	suya	suyos	suyas
nuestro	nuestra	nuestros	nuestras
vuestro	vuestra	vuestros	vuestras
suyo	suya	suyos	suyas

2. Completa con el posesivo átono o tónico adecuado.

VERBOS CON PRONOMBRES

ME / TE / SE / NOS / OS / SE

ME / TE / LE / NOS / OS / LES

3. Completa estas frases con el pronombre adecuado.

4. A estas frases les falta una de estas palabras: a, con, por, cuando. Colócalas en el lugar adecuado. Una de ellas está completa.

HABLAR DE LA DURACIÓN

5. Completa las frases con desde, desde hace o hace... que.

6. Contesta a estas preguntas.

En ***La Revista*** hemos incluido textos relacionados con los temas de la unidad. De esta forma, a tu ritmo, puedes aprender más sobre la cultura hispana y sobre los países en los que se habla español.

Y conocerás **autores importantes** y algunas **curiosidades** del mundo hispanohablante.

LA REVISTA

Acoso escolar

Quizá has visto campañas contra el acoso escolar parecidas a estas. ¿Cuál es su mensaje? ¿Crees que tú puedes hacer algo para parar el acoso?

¿SEGURO QUE LO ENTIENDES?
Para ayudar a alguien, primero hay que entender cómo se siente. Vamos a hacer un experimento.

1. Coge una hoja de papel y dibújate a ti mismo. También puedes pegar una foto tuya o escribir tu nombre.

2. Haz una pelota con esta hoja. Apriétala todo lo posible, ayúdate con las manos y con los pies, si hace falta.

3. Ahora, intenta dejar la hoja de papel tal como era al principio. Alísala con las manos, préndala con libros, puedes llevártela a casa y plancharla. ¿Crees que vas a conseguir dejarla como antes?

Pues esto es una metáfora: ocurre algo muy parecido cuando un chico o una chica sufre acoso escolar. Puedes decir "lo siento", puedes intentar ayudarlo de maneras muy diferentes, pero las cicatrices están en esa persona para siempre. Acuérdate de esta experiencia: el acoso tiene consecuencias para toda la vida.

REDES DE EMOTICONOS
Estos son algunos de los emoticonos más utilizados. ¿Sabes qué significan?

a. Estoy enfadado/-a b. Estoy triste c. ¡Es broma!

a. ¡Estoy supercontento/-a! b. ¡Me muero de risa! c. ¡Qué susto!

a. ¡Qué sorpresa! b. ¡Qué sueño! c. ¡Qué hambre!

a. ¡Qué vergüenza! b. ¡Qué horror! c. Te mando un beso

a. ¡Soy el mejor! b. Me aburrooooo. c. ¡Qué sueño!

VÍDEO

¿Qué es para ti la amistad?
Varios chicos nos hablan de cómo viven la amistad: cómo son sus amigos, qué hacen con ellos, qué les parece importante...

CANCIÓN

Nadie como tú

También podrás aprender **poemas**, cantar **canciones** y saber de qué va el **vídeo** de la unidad.

¿CÓMO ES GENTE JOVEN NUEVA EDICIÓN?

En la página de ***Nuestro proyecto*** encontrarás el proyecto de la unidad. Para realizarlo vas a necesitar poner en juego varias competencias y usar lo que has aprendido en las páginas anteriores.

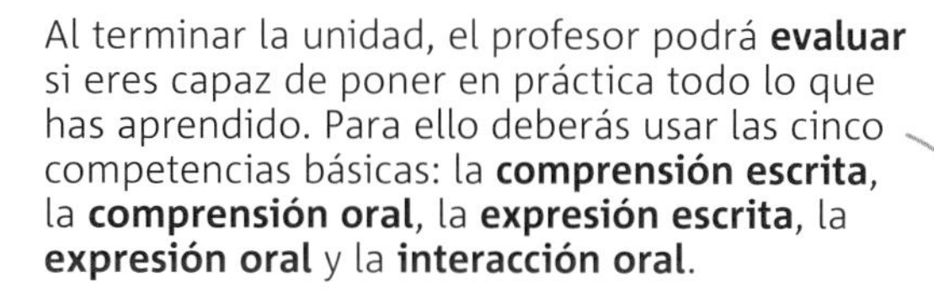

Al terminar la unidad, el profesor podrá **evaluar** si eres capaz de poner en práctica todo lo que has aprendido. Para ello deberás usar las cinco competencias básicas: la **comprensión escrita**, la **comprensión oral**, la **expresión escrita**, la **expresión oral** y la **interacción oral**.

Puedes hacer y presentar los proyectos usando las nuevas tecnologías (filmando, grabando, con ordenador y con el proyector de la clase...). O si lo prefieres, también los puedes hacer con rotuladores, cartulinas, disfraces... y siempre tendrás que hablar con tus compañeros para llevarlos a cabo y para presentarlos a la clase.

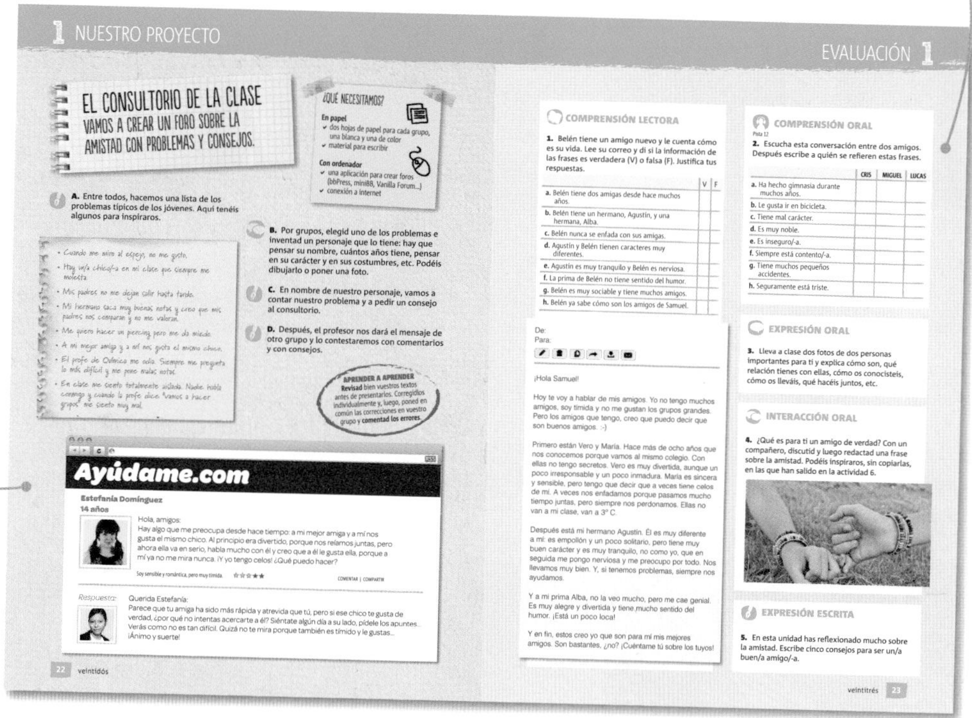

En el resumen de ***Gramática y comunicación*** podrás consultar tus dudas y también encontrarás más ejemplos de todos los recursos que necesitas para comunicarte en español.

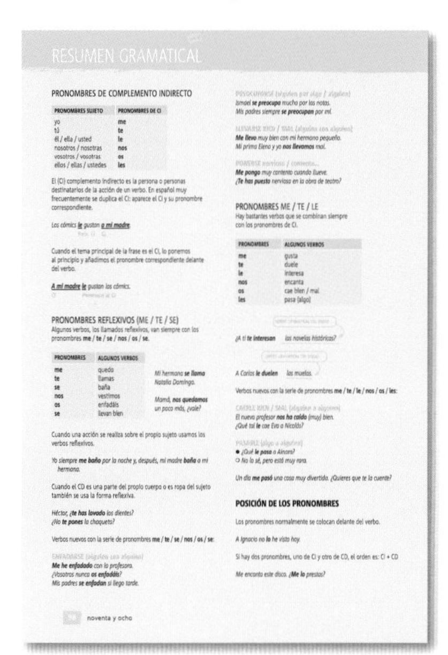

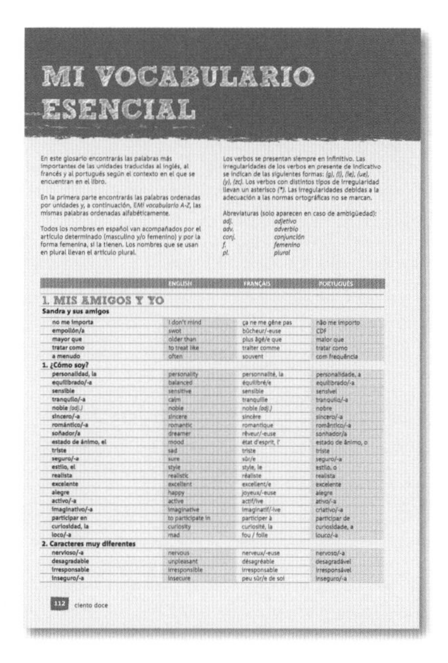

En ***Mi vocabulario*** vas a encontrar las palabras más importantes del libro ordenadas por unidades y alfabéticamente.

Al final del libro podrás leer el cómic de ***La Peña del garaje***: ¡una historia de acción, aventuras y amistad que te va a encantar!

Recursos gratis para estudiantes y profesores

campus difusión

Actividades interactivas de léxico y gramática, ejercicios para trabajar con los audios y los vídeos y otros materiales que te van a ayudar a seguir aprendiendo.

GRAMÁTICA	LÉXICO	CULTURA Y CIVILIZACIÓN	VÍDEOS
• Los posesivos tónicos. • Algunos verbos pronominales: **llevarse bien / mal, caer(le) bien / mal /** ... • Expresar la duración: **hace / desde hace, hace... que...** • Las perífrasis **empezar a, dejar de** y la expresión **convertirse en**. • Expresar acuerdo y desacuerdo: **es verdad que...**, **no estoy de acuerdo con**... • Conectores causales y consecutivos: **en primer lugar, es decir**...	• El carácter y los estados de ánimo con **ser, estar** y **ponerse**. • Léxico sobre el carácter, los estados de ánimo y las relaciones personales: **ser muy sensible, ponerse contento, llevarse bien con**...	• El grupo de pop-rock español La oreja de Van Gogh. • Las costumbres en las relaciones de amistad de los chicos de una escuela argentina.	• *¿Qué es para ti la amistad?* Varios chicos argentinos hablan de cómo viven la amistad: cómo son sus amigos, qué hacen con ellos, qué les parece importante...
• El pretérito indefinido y el pretérito imperfecto para relatar en pasado. • **Estaba** + gerundio. • Algunos adverbios en **-mente**. • Organizar relatos escritos y orales con: **una vez, un día, entonces, de pronto, finalmente, total, que...** • Reaccionar ante una anécdota: **¿En serio?, ¿Ah sí?, ¡Qué bien!...**	• Verbos para introducir diálogos: **decir, responder, exclamar**... • Léxico para contar historias de miedo: **escuchar un ruido misterioso, ver una sombra**...	• El escritor español Ramón Gómez de la Serna: relatos y greguerías. • Los juglares medievales y los romances. • El romance del Conde Olinos (s. XV). • El cortometraje español *El número*. • La canción *The speak-up mambo (Cuéntame qué te pasó)*, de la orquesta cubana de Al Castellanos.	• *El número* Un lápiz nos cuenta su vida en primera persona: su nacimiento en la fábrica, dónde vive, sus sueños y su destino inesperado.
• El imperativo afirmativo. • El imperativo afirmativo con pronombres. • Formular normas y prohibiciones: (**no**) **hay que**, (**no**) **se puede, debemos, es obligatorio, está prohibido**... • Hablar de permisos: **se puede, nos dejan**... • Hacer valoraciones: **me parece bien / normal /** ..., **creo que está bien / es injusto /** ...	• Léxico para situar en el espacio: **en el medio, en un rincón, en el techo, en el suelo**... • Algunos significados de los verbos **poner(se)** y **dejar**. • Léxico para hablar de la publicidad.	• Una campaña publicitaria de Librerías Gandhi (México). • Una campaña para fomentar el uso de la bicicleta en Oaxaca (México). • Una campaña para fomentar la dieta mediterránea entre los jóvenes (España). • Campañas solidarias de las ONG Cruz Roja Colombiana, Intermon-Oxfam, Greenpeace y Médicos Sin Fronteras. • Una campaña en vídeo de Amnistía Internacional sobre las consecuencias de la pobreza. • El poeta cubano Nicolás Guillén y su poema *La muralla*. La versión musical de Ana Belén y Víctor Manuel.	• *La pobreza* Campaña de Amnistía Internacional sobre las consecuencias de la pobreza.

GRAMÁTICA	LÉXICO	CULTURA Y CIVILIZACIÓN	VÍDEOS
• El futuro imperfecto. • Frases condicionales: **si** (**no**) presente + presente / futuro. • **Seguir** + gerundio. • Perífrasis de infinitivo y gerundio con pronombres. • Los grados de seguridad: **a lo mejor..., seguro que...** • Nombres derivados de verbos: **el consumo, el reciclaje**... • Marcadores temporales: **ya, hasta ahora, dentro de**... • Hablar de cantidades: **más / menos que, aumentar**...	• Léxico para hablar de la vida profesional: **ser periodista, trabajar en algo relacionado con los animales**... • Léxico para hablar de ciencia y tecnología: **máquina, aparato, sistema**... • Léxico para hablar del medio ambiente y de los animales: **contaminación, extinción, proteger, cuidar**...	• Algunos datos sobre los residuos no biodegradables, las industrias contaminantes y los gases contaminantes. • Inventos con potencial para cambiar el futuro: la realidad aumentada, la impresora 3D, los microchips... • El Parque Nacional del Yasuní, en Ecuador. • Varias especies animales en peligro de extinción (vídeo sobre el lince ibérico). • El grupo de pop-rock mexicano Maná.	• *El lince ibérico* Documental sobre el felino más amenazado de Europa, que solo vive en la Península Ibérica.
• El condicional. • Combinar el pretérito indefinido y el pretérito perfecto. • La duración: **durante, desde... hasta, pasar** (**tiempo en**)... • Situar un lugar: **en el / al norte** (**de**), **en el interior**... • Describir un lugar: **es una zona con... / en la que... / muy bonita**... • Valorar una experiencia pasada: **lo pasé muy bien, me gustó mucho**... • Las preposiciones aprendidas hasta ahora.	• Léxico para hablar de viajes: medios de transporte, alojamiento, actividades... • Léxico para hablar de lugares: **zona, región, departamento, lugar, pueblo, capital**...	• Lugares de interés turístico y cultural del mundo hispanohablante: los Andes, el Caribe, el Salar de Uyuni, el barrio de la Boca, Barcelona... • Granada, la Alhambra y Sierra Nevada. • El País Vasco, Cantabria y Asturias. • Perú y el departamento de Loreto. • Chile: geografía, cultura y naturaleza. • El poema *Caminante no hay camino...*, de Antonio Machado.	• *Vías verdes del ferrocarril vasco-navarro* En España hay antiguas vías y estaciones de tren que ya no se utilizan. Desde hace unos años, se han acondicionado y se han convertido en las "vías verdes".
• **Cada** o **cada uno/-a/-os/-as**. • **El / la / los / las que** o **quien/es**. • **El / la / los / las mejor/es / peor/es**. • **Mejor/es / peor/es que**. • Las oraciones relativas con preposición. • Distintos casos de uso de pronombres. • Dar puntos de vista y réplicas en debates. • Fórmulas para hablar del juego: **me toca tirar, tienes tres puntos, eso no vale**...	• Léxico de juegos, deportes y videojuegos.	• Juegos típicos en países de habla hispana: el parchís, las categorías, los chinos, la rana... • El dominó: un juego de mesa muy popular en los países caribeños. • Retransmisiones deportivas en español. • Rivalidades futbolísticas de fama mundial: Boca Juniors contra River Plate y Fútbol Club Barcelona contra Real Madrid. • Un colegio colombiano ha creado un juego: el palotroque.	• *El juego del palotroque* Unos chicos y chicas colombianos explican las reglas del juego del palotroque y muestran cómo juegan en su colegio.

• Resumen gramatical • Recursos para la comunicación • Tablas verbales

• Mi vocabulario esencial (por unidades) • Mi vocabulario A-Z

unidad 1

MIS AMIGOS Y YO

NUESTRO PROYECTO: VAMOS A CREAR UN FORO SOBRE LA AMISTAD DONDE PLANTEAREMOS PROBLEMAS Y DAREMOS CONSEJOS.

VAMOS A...

- leer un test psicológico, un artículo sobre los adolescentes y una campaña contra el acoso escolar;
- escuchar conversaciones sobre la amistad y un consultorio radiofónico;
- escribir sobre la amistad (relaciones, problemas...);
- mostrar acuerdo y desacuerdo respecto a un artículo y dar consejos sobre problemas en la adolescencia;
- hablar sobre las características y la personalidad de los adolescentes y sobre la amistad;
- ver a varios adolescentes que nos hablan sobre sus amigos y sobre la amistad.

VAMOS A APRENDER...

- los posesivos tónicos: **un amigo mío**;
- algunos verbos pronominales: **llevarse bien** / **mal**, **caer(le) bien** / **mal**, **ponerse contento** / **triste** / ...;
- a expresar la duración: **hace** / **desde hace**, **hace... que...**;
- las perífrasis **dejar de**, **empezar a** y la expresión **convertirse en**;
- a expresar acuerdo y desacuerdo: **es verdad que...**, **no estoy de acuerdo con...**;
- conectores para ordenar, contrastar y reformular la información: **en primer lugar**, **por un lado**, **es decir...**;
- el carácter y los estados de ánimo con **ser**, **estar** y **ponerse**;
- léxico sobre el carácter, los estados de ánimo y las relaciones personales.

Este es un amigo mío. Solo amigo, ¿eh? Estamos juntos en la misma clase y también vamos en el mismo autobús. Me llevo fenomenal con él. Es un poco tímido, pero no me importa.

ENRIQUE

HÉCTOR Y YO

Mi hermano es un poco serio, pero también es muy divertido. Es cuatro años mayor que yo y a veces me trata como a una niña pequeña. Nos enfadamos a menudo, pero... supongo que en el fondo nos queremos.

Estas son unas compañeras mías de clase. Con ellas hago siempre los proyectos y algunos fines de semana estudiamos juntas. Son muy trabajadoras... Bueno, un poco empollonas, como yo.

Esta es una prima mía. Es supersimpática. No nos vemos mucho porque ella vive en Córdoba, pero siempre pasamos un mes en verano juntas en casa de nuestros abuelos, en el campo. Me cae genial.

Y esta es mi mejor amiga. No vamos al mismo colegio porque ella ahora vive lejos, pero chateamos y nos vemos los fines de semana. Con ella no me enfado nunca porque es la persona que mejor me entiende.

Sandra y sus amigos

A. ¿Quiénes son estas personas en la vida de Sandra? Completa.

Enrique es un amigo suyo.
Héctor es...
Ana María y Carla y son...
Susana es...
Sofía es...

B. ¿Cómo es el carácter de cada uno, según Sandra?

C. ¿Con quién se lleva bien? ¿Con quién tiene problemas?

1. ¿Cómo soy? CE: 1, 2 y 3 (p. 13)

A. ¿Te conoces a ti mismo? Escoge tres frases para definirte. Puedes modificarlas o usar otras.

Yo soy muy alegre, me preocupo por los demás y no soy nada tímido.

Tengo mal carácter. | Soy muy independiente. | Soy muy alegre. | Soy un poco irresponsable. | Me preocupo por los demás. | Soy muy realista. | Soy muy sensible. | Soy soñador/a. | Soy bastante sincero/-a. | ...

B. Ahora elige uno de estos dibujos sin pensar demasiado. Luego, lee la descripción correspondiente. ¿Estás de acuerdo? Coméntalo con un compañero/-a.

No es verdad, yo no soy así. Yo creo que soy...

TEST DE **PERSONALIDAD**

1 
2 
3 
4 
5 

1. Eres una persona equilibrada y sensible, y piensas mucho, ¡a veces demasiado! Seguramente te gustan las actividades intelectuales como leer. Tienes pocos amigos, pero los que tienes son buenos.

2. Eres una persona muy tranquila. Tienes buen carácter y eres noble y sincero/a, pero un poco tímido/a. Te gusta el arte y la cultura en general. Prefieres estar solo/a o en familia, y no te gustan mucho los cambios.

3. Eres una persona romántica y soñadora. Tu estado de ánimo puede cambiar mucho: de repente te pones contento/a, triste... Te preocupas mucho por los demás y tienes muchos amigos. No te gusta estar solo/a.

4. Eres una persona muy independiente y segura de ti misma, con un estilo propio. Eres realista y te gusta llevar la iniciativa. A veces te pones nervioso/a por pequeñas cosas y te enfadas, pero posees un excelente sentido del humor.

5. Eres una persona alegre, activa e imaginativa. Te gusta participar en todo lo que pasa a tu alrededor. Tienes mucha curiosidad por lo desconocido, pero a veces puedes ser un poco irresponsable: ¡tus amigos dicen que estás un poco loco/a!

Nota: Este test se ha creado con finalidades lúdicas y no tiene validez científica.

C. En grupos de tres, buscad a compañeros de clase o profesores que cumplan las siguientes descripciones.

- .... a veces se pone nervioso/-a.
- .... tiene muy buen carácter.
- .... se preocupa mucho por los demás.
- .... tiene mucho sentido del humor.
- .... es una persona muy segura de sí misma.

HABLAR DE ESTADOS DE ÁNIMO

CE: 6 (p. 8)

*Toni **está enfadado** con su hermano.*

*Hoy Ángel **está de mal humor**.*

*Serena **se ha puesto nerviosa** porque tiene un examen.*

Susana, **¿qué te pasa?**

¡No me pasa nada! ¿Es que no puedo estar seria?

Oye, Sandra, **¿qué le pasa** a Susana?

2. Caracteres muy diferentes

CE: 5 (p. 7)

A. Ainhoa, Carlos y Marta se han manchado de chocolate en una fiesta. Mira el dibujo y contesta: ¿Quién piensas que reacciona mejor de los tres? ¿Por qué?

B. Escribe cómo crees que es su carácter según sus expresiones.

C. Ahora, escucha y lee lo que dicen sus amigos de ellos. Luego, escribe en una tabla las cosas positivas y negativas de su carácter.

Pistas 01-03

1

- ❍ Ainhoa tiene muy buen carácter, ¿no te parece?
- ■ Sí. Nunca se pone nerviosa. Cuando le pasa algo desagradable nunca se pone de mal humor ni se enfada.
- ❍ ¡Qué suerte ser así!
- ■ Pues sí. Aunque a veces es un poco irresponsable.

2

- ❍ Lo que pasa es que Carlos es muy buen chico pero un poco inseguro... y supertímido.
- ■ Sí, no es fácil conocerlo bien...
- ❍ Bueno, es que casi nunca expresa sus sentimientos y por eso no sabes lo que le pasa. Yo lo conozco bastante bien, es muy amigo mío y sé que es una persona muy sensible.

APRENDER A APRENDER
Fíjate que muchas expresiones para hablar de estados de ánimo y de carácter son verbos con pronombres: **enfadarse**, **ponerse nervioso/a**, **pasar(le) algo**....

3

- ❍ Marta tiene un mal carácter...
- ■ Es verdad: se enfada por cualquier cosa.
- ❍ Sí, pero los enfados le duran poco tiempo.
- ■ Es verdad, en el fondo es una persona muy noble y se preocupa mucho por los demás: es muy solidaria.
- ❍ Lo único es eso, que tiene mal carácter.

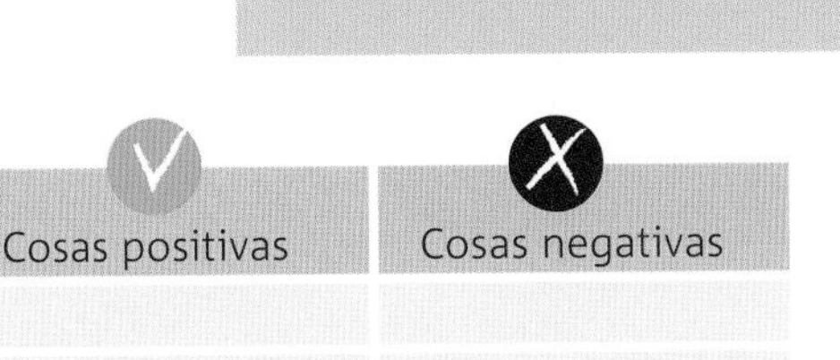

	Cosas positivas	Cosas negativas
Ainhoa		
Carlos		
Marta		

DESCRIBIR EL CARÁCTER

CE: 8 (p. 9)

Es (una persona) muy ***sensible****.*
Es (un chico) muy ***solidario****.*
Es (una chica) ***responsable*** *y* ***trabajadora****.*

Lucía es muy ***independiente*** *y le gusta* ***llevar la iniciativa****.*

Tiene (muy) ***buen*** */* ***mal carácter****.*

(No) Tiene (mucho) ***sentido del humor****.*

Se enfada por *cualquier cosa.*

Se preocupa por *los demás.*

MINIPROYECTO

En parejas: cada uno escribe dos frases sobre el carácter de su compañero. Luego, os intercambiáis las frases. ¿Estáis de acuerdo con lo que dicen sobre vosotros?

3. Nosotros, los adolescentes CE: 1 (p. 14), 2 (p. 15)

A. Con un compañero, escribe tres cosas que creéis que os pasan a casi todos los adolescentes.

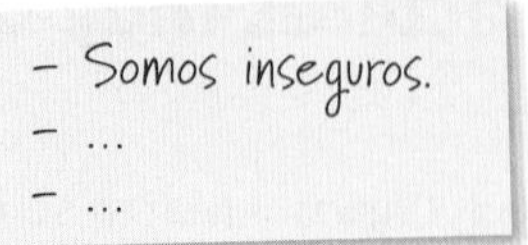

B. Ahora lee este artículo sobre el tema. ¿Estás de acuerdo con lo que dice? Escribe en tu libreta las frases con las que no estás de acuerdo.

PERO... ¿QUÉ ES LA ADOLESCENCIA?

De acuerdo, no somos ni niños ni adultos, es decir: somos adolescentes. Pero... ¿qué significa esto?

En primer lugar, la adolescencia es una etapa de transición en la que dejamos de ser niños para convertirnos en adultos. En esta época experimentamos cambios fisiológicos (que tienen que ver con el cuerpo), psicológicos y sociales, y nos ocurren cosas importantes: nos separamos de los padres, que hasta ahora han sido los protectores y los modelos, nos integramos en la sociedad de forma independiente y buscamos una identidad propia.

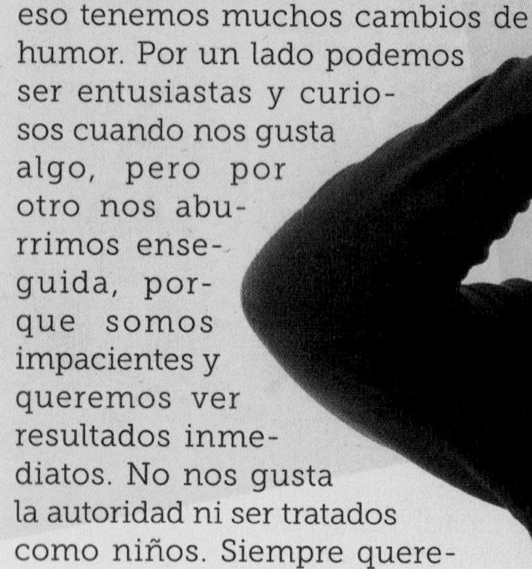

Los adolescentes no controlamos bien los impulsos y las emociones, y por eso tenemos muchos cambios de humor. Por un lado podemos ser entusiastas y curiosos cuando nos gusta algo, pero por otro nos aburrimos enseguida, porque somos impacientes y queremos ver resultados inmediatos. No nos gusta la autoridad ni ser tratados como niños. Siempre queremos tomar parte en las decisiones y exigimos el respeto de los adultos. Tenemos problemas de autoestima y nos preocupa lo que piensan los demás de nosotros: somos muy vergonzosos. Y por último, poseemos un gran sentido de la justicia y somos muy idealistas.

Además, como nos sentimos inseguros, buscamos apoyo y referentes en nuestro grupo de amigos. Los amigos, y también los novios o novias, con los que empezamos a tener relaciones profundas, se convierten en las personas más importantes a esta edad, mucho más que la familia.

Finalmente, a causa de las transformaciones de nuestro cuerpo y de la búsqueda de la identidad, la imagen (ser alto o gordo, el color del pelo, el estilo de la ropa...) se convierte en un problema.

En definitiva: somos jóvenes, tenemos toda la vida por delante y, sin embargo, nuestra vida no es fácil porque nos lo empezamos a cuestionar todo: ¿Quién soy yo? ¿Qué es lo que quiero...?

C. Comentad en clase las frases que habéis anotado. ¿Hay algo en lo que todos coincidís?

- ● Yo no estoy de acuerdo con esto.
- ○ Pues a mí me parece que es verdad, porque...

HABLAR DE CAMBIOS

CE: 1 (p. 14)

dejar de + infinitivo
empezar a + infinitivo
convertirse en + sustantivo

Hemos dejado de *ser niños.*
Hemos empezado a *ser independientes.*
Nos hemos convertido en *personas con opiniones.*

CONECTORES

CE: 9 (p. 9), 2 (p. 15)

CONTRASTAR INFORMACIONES
por un lado... pero por otro...

ORDENAR LA INFORMACIÓN
en primer lugar / además / finalmente

REFORMULAR
es decir
o sea

EXPRESAR ACUERDO Y DESACUERDO

Es verdad que...
En parte estoy de acuerdo con..., pero...
No estoy (nada) de acuerdo con...
Estoy de acuerdo, pero depende.

4. El consultorio de la doctora Esperanza

CE: 14 (p. 12), 3 (p. 15)

A. Marca cuáles de estas frases has dicho o has oído alguna vez.

- Mis padres no me dejan salir de noche.
- Cuando me enfado termino llorando o gritando.
- Ya no soy un/a niño/-a.
- Cuando me miro al espejo no me gusto.
- Piensa que solo soy un/a amigo/-a.
- Los chicos / Las chicas no se fijan en mí.

Los adultos no me entienden.

Pistas 04-06

B. Vas a escuchar un programa de radio donde algunos chicos cuentan sus problemas y reciben consejos. Luego, completa una tabla como esta.

Gala	*Problema*	*Consejos*
Nico	*Problema*	*Consejos*
Santi	*Problema*	

C. ¿Qué consejos le puedes dar al último chico que ha llamado? Con un compañero, tomad notas.

Intenta conocer a alguien...

Pista 07

D. Escucha ahora a la doctora Esperanza. ¿Estás de acuerdo con ella?

CONSEJOS

CE: 14 (p. 12), 3 (p. 15)

intentar + infinitivo
Intenta ponerte *en su lugar.*

(no) deberías + infinitivo
No deberías preocuparte *tanto.*

imperativo (afirmativo)
Habla *con ella, seguro que os entendéis.*

PERMISO: DEJAR / NO DEJAR

CE: 11 (p. 10)

ME / TE / LO, LA / NOS / OS / LOS, LAS + **dejar** + infinitivo

Mis padres ***me dejan*** *salir el sábado por la noche un rato.*

Sus padres ***no los dejan*** *jugar con la consola durante la semana.*

MINIPROYECTO

En grupos de tres, discutid y escribid en cinco frases cómo creéis que sois los adolescentes. Pueden ser características positivas o negativas. Después podéis leer vuestras ideas a la clase y colgarlas en el aula.

5. La mejor amiga de Isaac

CE: 10 (p. 10), 1 (p. 16)

Pistas 08-10

A. Lee y escucha lo que dicen estas tres chicas sobre Isaac. ¿Qué crees que siente cada una? ¿Y qué siente Isaac? Comentadlo en clase.

... está enamorado/-a de...
... tiene celos de...
... está enfadado/-a porque...
Lo que le pasa a Isaac es que...

Isaac y yo nos conocimos en un chat. Enseguida me pareció un chico muy especial, diferente..., muy maduro para su edad. Un día quedamos. Me acuerdo muy bien: fue un sábado ¡ya hace un año! Amor a primera vista... Nos llevamos muy bien pero el problema es que siempre está hablando de su ex, Bibiana. Y después está la otra, esa amiga suya: Caty. "Hoy tengo que trabajar con Caty, Caty me espera para hacer el trabajo de Ciencias..." Estoy harta. Ayer, por ejemplo, me enfadé. ¡Caty le mandó cuatro mensajes en una hora y después nos encontramos a Bibiana, su ex, por la calle y habló durante más de diez minutos con ella...

¿Cómo conocí a Isaac? Pues hace dos años que lo conozco. Un día fui al cine con mi amiga Nina y en la entrada nos encontramos con su hermano y un amigo suyo: era Isaac. Enseguida me cayó bien. Al salir del cine fuimos todos a tomar algo. Él me pidió mi número de móvil. Al poco tiempo me mandó un mensaje y después otro... Entonces empezamos a salir juntos pero a los tres meses lo dejamos. No sé... Yo lo encuentro un poco infantil, inmaduro. Un día nos enfadábamos por una cosa, otro día por otra... No tenemos los mismos gustos ni intereses. Mi amiga Nina dice que todavía me gusta pero no es verdad. Eso sí, le veo mucho al salir de clase con esa chica tan tonta con la que sale ahora, una tal Silvia, creo...

Isaac y yo nos conocimos en la escuela primaria, o sea, que hace diez años que vamos al mismo cole y desde hace dos años a la misma clase. Nos llevamos muy bien y muchas veces hacemos trabajos juntos o preparamos los exámenes en su casa o la mía. A mí me gusta mucho estar con él, pero antes salía con Bibiana y ahora sale con Silvia... Silvia tiene celos, creo, porque pasamos mucho tiempo juntos pero lo siento, es que ¡es mi mejor amigo!

RELACIONES PERSONALES

CE: 1, 2 y 3 (p. 5), 6 (p. 8)

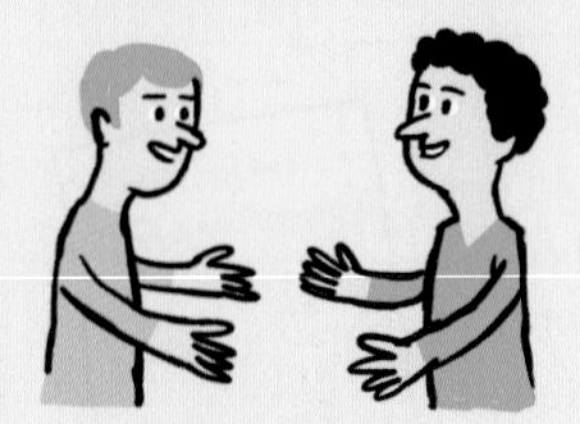

De qué se conocen:

***Se ven** al salir del colegio.*
***Se encuentran** los sábados en el fútbol.*
***Se conocen** desde pequeños.*

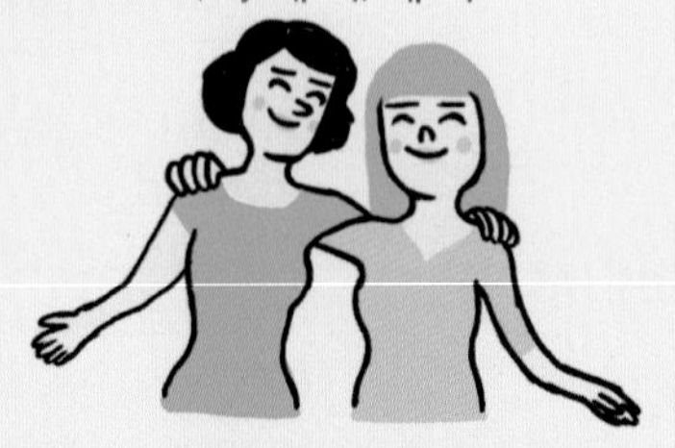

Cómo se llevan:

***Se quieren** mucho.*
***Se llevan** muy bien.*
*No **se enfadan** nunca.*

Qué sienten por otros:

***A** Luis **le cae bien** Tolo.*
***A** Tolo **no le cae bien** Luis.*

*Álex **está enamorado de** Carola.*
*Carola **está enamorada de** Sam.*
*Álex **tiene celos de** Sam.*

B. ¿A quién se refieren estas frases? Marca con una cruz.

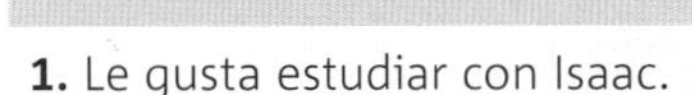

	Bibiana	Silvia	Caty
1. Le gusta estudiar con Isaac.			
2. Se lo encuentra muchas veces aunque ya no sale con él.			
3. Está celosa de las otras dos amigas.			
4. Le gustó desde el primer momento que lo vio.			
5. Nunca han sido novios, solo amigos.			
6. No va al mismo colegio que él.			

C. ¿Qué tiene que hacer Isaac? Discútelo con dos compañeros.

D. Escribe un pequeño texto sobre algún amigo tuyo respondiendo a estas preguntas.

- ¿Cómo es?
- ¿Cuánto hace que sois amigos?
- ¿Cómo os conocisteis?
- ¿Ha sido vuestra relación siempre igual?

6. Un amigo de verdad

A. Lee estas citas sobre la amistad y piensa con cuáles estás más de acuerdo. Después, discutid en grupos pequeños.

"Un amigo es alguien para quien eres perfecto."

"Un amigo es alguien que conoce tus defectos y sin embargo, te quiere."

"La amistad es sobre todo perdonar y aceptar."

"La amistad es tratar de hacer mejor a la otra persona."

"La amistad sirve para recibir apoyo y comprensión cuando lo necesitas."

"La amistad sirve para abrirte los ojos ante tus defectos y errores."

"Los verdaderos amigos no se enfadan jamás."

"Los verdaderos amigos se tienen que enfadar de vez en cuando."

B. Elige la frase que más te gusta y explica por qué.

A mí me gusta la de enfadarse de vez en cuando, porque yo una vez me enfadé mucho con una amiga, después nos perdonamos y ahora es mi mejor amiga.

DURACIÓN ▶ CE: 12 (p. 11)

- *¿**Cuánto** (tiempo) **hace que** conoces a Julia?*
- *○ **Hace** 10 años (**que** conozco a Julia).*
- *¿**Hace mucho** (tiempo) **que** sales con José?*
- *○ Sí, **hace** tres meses (**que** salgo con él).*
- *Y vosotros, ¿os conocéis mucho?*
- *○ ¡Sí! Vivimos en la misma calle **durante** diez años.*

MINIPROYECTO

¿Sabes que es un acróstico? De cada letra de la palabra vertical sale una frase o un verso. Podéis hacer un concurso por grupos de pósters con la palabra:

CARÁCTER Y ESTADOS DE ÁNIMO

CE: 1 (p. 16)

CARÁCTER: SER

Expresa cualidades permanentes.

*Yessi **es** una chica muy tranquila y alegre.*

ser + alegre
inteligente
antipático/-a
sincero/-a
tranquilo/-a

~~ser contento~~

ESTADOS DE ÁNIMO: ESTAR

Expresa estados temporales y resultados de un proceso.

*Hoy Yessi **está** muy contenta porque le han regalado un gato.*

estar + contento/-a
enfadado/-a
nervioso/-a
triste
preocupado/-a
de buen / mal humor

Los participios siempre van con **estar**:
~~soy cansado / soy preocupado / ...~~

CAMBIOS DE ESTADO DE ÁNIMO: PONERSE

Expresa cambios y resultados de un proceso.

*Yessi **se ha puesto triste** cuando le han dicho que su gato está enfermo.*

ponerse + contento/-a
nervioso/-a
triste
de buen / mal humor

~~ponerse preocup**ado** / enfad**ado**...~~ → *preocuparse / enfadarse...*

1. Explica lo siguiente diciendo dos o tres cosas cada vez:

a. Cómo eres: tu carácter.
b. Cómo estás hoy: tu estado de ánimo.
c. Algo que hoy te ha hecho cambiar de estado de ánimo.
d. Cómo es un compañero/-a de clase.
e. Cómo está él / ella hoy: su estado de ánimo.
f. Algo que normalmente lo hace cambiar de estado de ánimo.

LOS POSESIVOS TÓNICOS

CE: 7 (p. 8)

SUSTANTIVO SINGULAR		SUSTANTIVO PLURAL	
MASCULINO	FEMENINO	MASCULINO	FEMENINO
mío	mía	míos	mías
tuyo	tuya	tuyos	tuyas
suyo	suya	suyos	suyas
nuestro	nuestra	nuestros	nuestras
vuestro	vuestra	vuestros	vuestras
suyo	suya	suyos	suyas

Identificar (pos. átonos):
***Mi** libreta es azul.*
*Este es **mi** tío.*

Hablar de la propiedad (posesivos tónicos):
● *¿De quién es esa libreta?*
○ *No lo sé, no es **mía**.*

● *¿Emi, es **tuya** esa libreta?*
○ *Sí, es **mía**.*

En relaciones personales (posesivos átonos y tónicos):
***Mi** madre.*
***Mi** amigo Fernando.*

***Un** amigo **mío**.*
***Esa** vecina **tuya**.*

● *¿Con quién está hablando Olga?*
○ *Con un primo **suyo**.*
*Con **su** primo Iñaki.*

2. Completa con el posesivo átono o tónico adecuado.

a. ● ¿Y este quién es? ¿Es el novio de María?
○ No, no es ...... novio, es un amigo ......
b. ● ¡Qué perrita más bonita! ¿Es vuestra?
○ No, ... perra es más grande.
c. ● Y esa chica tan guapa que va con Pedro, ¿quién es?
○ Pues creo que es una vecina ......
d. ● ¿Belén es la nieta de Marta?
○ Sí, es ...... nieta.
e. ● ¿Con quién vas de vacaciones?
○ Con Geno y María, unas amigas ......
f. ● Mira, ese es tu profesor de Mates, ¿no?
○ No, ese es el profesor de Fernando, ¡el ...... es mucho más joven!

VERBOS CON PRONOMBRES CE: 4 (p. 6), 13 (p. 12)

ME / TE / SE / NOS / OS / SE

ENFADARSE (alguien con alguien / por algo)
*Hoy **me he enfadado** con Pilar.*
*Mi madre y yo nunca **nos enfadamos**.*

~~*Pilar me ha enfadado.*~~ *Pilar **me ha hecho enfadar**.*

PREOCUPARSE (alguien por alguien / algo)
*Es muy buen chico, **se preocupa** por todo el mundo.*
*¡**Te preocupas** demasiado! Relájate un poco.*

LLEVARSE BIEN / MAL (alguien con alguien)
***Me llevo** muy **bien** con mi padre.*
*Mi hermana y yo **nos llevamos** bastante **mal**.*

ME / TE / LE / NOS / OS / LES

CAER(LE) BIEN / MAL (alguien a alguien)
*El profesor nuevo **nos ha caído** muy bien.*

● *¿Qué tal **le cae** Lili a tu hermana?*
○ *Fatal, ¿por qué?*

PASAR(LE) (algo a alguien)
● *Isa, ¿qué **te pasa**?*
○ *Pues que no encuentro mi bicicleta.*

3. Completa estas frases con el pronombre adecuado.

a. David es muy buen profesor, ... preocupa mucho por sus alumnos.
b. A Ariadna ...... pasa algo. Últimamente está muy callada y no habla con nadie.
c. Pablo, ¿tú ...... llevas bien con tus padres? Yo no ...... llevo muy bien con los míos últimamente.
d. A todos nosotros ...... cae muy bien la chica nueva. Es muy simpática.
e. No sé por qué a Laura y a Raquel no ...... caen bien los chicos de mi clase.
f. Nacho tiene un carácter difícil, ... enfada por cualquier tontería.
g. ¿Y a ti qué ...... pasa? ¿Por qué estás de tan mal humor?

4. A estas frases les falta una de estas palabras: **a**, **con**, **por**, **cuando**. Colócalas en el lugar adecuado. Una de ellas está completa.

a. Laura no le cae bien Montse.
b. Laura y Montse no se llevan bien.
c. Fernando no se lleva bien sus padres.
d. Marina se pone muy contenta tiene vacaciones.
e. David se preocupa mucho sus hijos.
f. Moncho se pone nervioso tiene un examen.
g. Mi madre siempre se enfada mi hermano.

HABLAR DE LA DURACIÓN CE: 12 (p. 11)

desde + fecha o acontecimiento
● *¿**Desde cuándo** vives aquí?*
○ ***Desde** los siete años / el 15 de septiembre.*

~~*Somos amigos hace 10 años.*~~ / ~~*Somos amigos desde 10 años.*~~
*Somos amigos **desde hace** 10 años. / **Hace** 10 años **que** somos amigos.*

desde hace + cantidad de tiempo
● *¿**Desde cuándo** sois amigos?*
○ *(Somos amigos) **Desde hace** mucho tiempo / tres años / ...*

hace + cantidad de tiempo + **que** + verbo
● *¿**Cuánto hace que** empezó el curso?*
○ ***Hace** dos semanas (**que** empezó el curso).*

● *¿**Hace mucho (tiempo) que** vives aquí?*
○ *Sí, **hace** cinco años (**que** vivo aquí).*

durante + cantidad de tiempo
● *¿**Durante cuánto tiempo** salisteis?*
○ *(Salimos) **durante** seis meses.*

5. Completa las frases con **desde**, **desde hace** o **hace... que**.

a. ...... dos semanas ...... no veo a mi hermano.
b. No sabía que tenías moto. ¿...... cuándo la tienes?
c. Anaís toca el piano ...... cinco años.
d. ¿Cuánto tiempo ...... estudias en esta escuela?
e. Javi y Ana salen juntos ...... enero del año pasado.
f. Nosotras nos conocemos ...... el año 2006.

6. Contesta a estas preguntas.

a. ¿Cuánto tiempo hace que estudias español?
b. ¿Desde cuándo conoces a tu mejor amigo/-a?
c. ¿Cuánto tiempo hace que vas a la misma escuela?
d. ¿Desde cuándo conoces a tu profesor/a de Matemáticas?

Acoso escolar

Quizá has visto campañas contra el acoso escolar parecidas a estas. ¿Cuál es su mensaje? ¿Crees que tú puedes hacer algo para parar el acoso?

Fuente: Junta de Castilla y León (España)

Fuente: Gobierno de Navarra (España)

¿SEGURO QUE LO ENTIENDES?

Para ayudar a alguien, primero hay que entender cómo se siente. Vamos a hacer un experimento.

1. Coge una hoja de papel y dibújate a ti mismo. También puedes pegar una foto tuya o escribir tu nombre.

2. Haz una pelota con esta hoja. Apriétala todo lo posible, ayúdate con las manos y con los pies, si hace falta.

3. Ahora, intenta dejar la hoja de papel tal como era al principio. Alísala con las manos, préNsala con libros, puedes llevártela a casa y plancharla. ¿Crees que vas a conseguir dejarla como antes?

Pues esto es una metáfora: ocurre algo muy parecido cuando un chico o una chica sufre acoso escolar. Puedes decir "lo siento", puedes intentar ayudarlo de maneras muy diferentes, pero las cicatrices están en esa persona para siempre. Acuérdate de esta experiencia: el acoso tiene consecuencias para toda la vida.

REDES DE EMOTICONOS

Estos son algunos de los emoticonos más utilizados. ¿Sabes qué significan?

a. Estoy enfadado/-a.
b. Estoy triste.
c. ¡Es broma!

a. ¡Estoy supercontento/-a!
b. ¡Me muero de risa!
c. ¡Qué susto!

a. ¡Qué sorpresa!
b. ¡Qué sueño!
c. ¡Qué hambre!

a. ¡Qué vergüenza!
b. ¡Qué horror!
c. Te mando un beso.

a. ¡Soy el mejor!
b. Me aburroooooo.
c. ¡Qué sueño!

VÍDEO

¿Qué es para ti la amistad?

Varios chicos nos hablan de cómo viven la amistad: cómo son sus amigos, qué hacen con ellos, qué les parece importante...

CANCIÓN

Nadie como tú

Pista 11

Nadie como tú para hacerme reír.
Nadie como tú sabe tanto de mí.
Nadie como tú es capaz de compartir
mis penas, mi tristeza, mis ganas
[de vivir.

Tienes ese don de dar tranquilidad,
de saber escuchar, de envolverme
[en paz.
Tienes la virtud de hacerme olvidar
el miedo que me da mirar la oscuridad.
Solamente tú lo puedes entender,
y solamente tú te lo podrás creer.

En silencio y sin cruzar una palabra,
Solamente una mirada es suficiente
[para hablar.
Ya son más de veinte años
de momentos congelados
en recuerdos que jamás se olvidarán.

Fragmento de "Nadie como tú", del álbum *Lo que te conté mientras te hacías la dormida*, 2003

La oreja de Van Gogh *es uno de los grupos españoles de pop-rock más exitosos en las últimas décadas. Fundado en 1996 y formado por Pablo Benegas, Álvaro Fuentes, Xabi San Martín, Haritz Garde y la vocalista Amaia Montero (actualmente, Leire Martínez), han ganado numerosos premios nacionales e internacionales.*

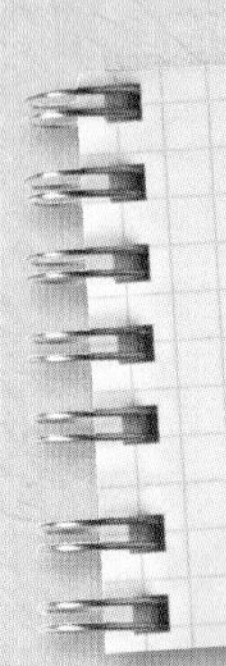

EL CONSULTORIO DE LA CLASE

VAMOS A CREAR UN FORO SOBRE LA AMISTAD CON PROBLEMAS Y CONSEJOS.

¿QUÉ NECESITAMOS?

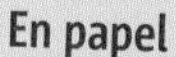

En papel
- dos hojas de papel para cada grupo, una blanca y una de color
- material para escribir

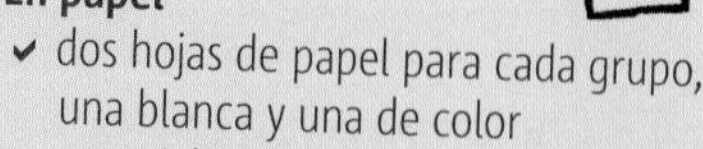

Con ordenador
- una aplicación para crear foros (bbPress, miniBB, Vanilla Forum...)
- conexión a internet

A. Entre todos, hacemos una lista de los problemas típicos de los jóvenes. Aquí tenéis algunos para inspiraros.

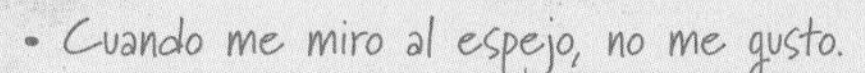

- Cuando me miro al espejo, no me gusto.
- Hay un/a chico/-a en mi clase que siempre me molesta.
- Mis padres no me dejan salir hasta tarde.
- Mi hermano saca muy buenas notas y creo que mis padres nos comparan y no me valoran.
- Me quiero hacer un piercing pero me da miedo.
- A mi mejor amiga y a mí nos gusta el mismo chico.
- El profe de Química me odia. Siempre me pregunta lo más difícil y me pone malas notas.
- En clase me siento totalmente aislada. Nadie habla conmigo y cuando la profe dice "vamos a hacer grupos" me siento muy mal.

B. Por grupos, elegid uno de los problemas e inventad un personaje que lo tiene: hay que pensar su nombre, cuántos años tiene, pensar en su carácter y en sus costumbres, etc. Podéis dibujarlo o poner una foto.

C. En nombre de nuestro personaje, vamos a contar nuestro problema y a pedir un consejo al consultorio.

D. Después, el profesor nos dará el mensaje de otro grupo y lo contestaremos con comentarios y con consejos.

APRENDER A APRENDER
Revisad bien vuestros textos antes de presentarlos. Corregidlos individualmente y, luego, poned en común las correcciones en vuestro grupo y **comentad los errores**.

Ayúdame.com

Estefanía Domínguez
14 años

Hola, amigos:
Hay algo que me preocupa desde hace tiempo: a mi mejor amiga y a mí nos gusta el mismo chico. Al principio era divertido, porque nos reíamos juntas, pero ahora ella va en serio, habla mucho con él y creo que a él le gusta ella, porque a mí ya no me mira nunca. ¡Y yo tengo celos! ¿Qué puedo hacer?

Soy sensible y romántica, pero muy tímida. COMENTAR | COMPARTIR

Respuesta:

Querida Estefanía:
Parece que tu amiga ha sido más rápida y atrevida que tú, pero si ese chico te gusta de verdad, ¿por qué no intentas acercarte a él? Siéntate algún día a su lado, pídele los apuntes... Verás como no es tan difícil. Quizá no te mira porque también es tímido y le gustas...
¡Ánimo y suerte!

COMPRENSIÓN LECTORA

1. Belén tiene un amigo nuevo y le cuenta cómo es su vida. Lee su correo y di si la información de las frases es verdadera (V) o falsa (F). Justifica tus respuestas.

	V	F
a. Belén tiene dos amigas desde hace muchos años.		
b. Belén tiene un hermano, Agustín, y una hermana, Alba.		
c. Belén nunca se enfada con sus amigas.		
d. Agustín y Belén tienen caracteres muy diferentes.		
e. Agustín es muy tranquilo y Belén es nerviosa.		
f. La prima de Belén no tiene sentido del humor.		
g. Belén es muy sociable y tiene muchos amigos.		
h. Belén ya sabe cómo son los amigos de Samuel.		

De:
Para:

¡Hola Samuel!

Hoy te voy a hablar de mis amigos. Yo no tengo muchos amigos, soy tímida y no me gustan los grupos grandes. Pero los amigos que tengo, creo que puedo decir que son buenos amigos. :-)

Primero están Vero y María. Hace más de ocho años que nos conocemos porque vamos al mismo colegio. Con ellas no tengo secretos. Vero es muy divertida, aunque un poco irresponsable y un poco inmadura. María es sincera y sensible, pero tengo que decir que a veces tiene celos de mí. A veces nos enfadamos porque pasamos mucho tiempo juntas, pero siempre nos perdonamos. Ellas no van a mi clase, van a 3° C.

Después está mi hermano Agustín. Él es muy diferente a mí: es empollón y un poco solitario, pero tiene muy buen carácter y es muy tranquilo, no como yo, que en seguida me pongo nerviosa y me preocupo por todo. Nos llevamos muy bien. Y, si tenemos problemas, siempre nos ayudamos.

Y a mi prima Alba, no la veo mucho, pero me cae genial. Es muy alegre y divertida y tiene mucho sentido del humor. ¡Está un poco loca!

Y en fin, estos creo yo que son para mí mis mejores amigos. Son bastantes, ¿no? ¡Cuéntame tú sobre los tuyos!

COMPRENSIÓN ORAL

Pista 12

2. Escucha esta conversación entre dos amigos. Después escribe a quién se refieren estas frases.

	CRIS	MIGUEL	LUCAS
a. Ha hecho gimnasia durante muchos años.			
b. Le gusta ir en bicicleta.			
c. Tiene mal carácter.			
d. Es muy noble.			
e. Es inseguro/-a.			
f. Siempre está contento/-a.			
g. Tiene muchos pequeños accidentes.			
h. Seguramente está triste.			

EXPRESIÓN ORAL

3. Lleva a clase dos fotos de dos personas importantes para ti y explica cómo son, qué relación tienes con ellas, cómo os conocisteis, cómo os lleváis, qué hacéis juntos, etc.

INTERACCIÓN ORAL

4. ¿Qué es para ti un amigo de verdad? Con un compañero, discutid y luego redactad una frase sobre la amistad. Podéis inspiraros, sin copiarlas, en las que han salido en la actividad 6.

EXPRESIÓN ESCRITA

5. En esta unidad has reflexionado mucho sobre la amistad. Escribe cinco consejos para ser un/a buen/a amigo/-a.

unidad 2

¿QUÉ PASÓ?

NUESTRO PROYECTO: VAMOS A HACER UN CONCURSO DE RELATOS DE MISTERIO.

VAMOS A...

- leer cómics, anécdotas y pequeños relatos, leer un cuento de Ramón Gómez de la Serna;
- escuchar y a leer un romance, escuchar a personas contando anécdotas y a otras reaccionando;
- escribir preguntas para una pequeña entrevista;
- contar una anécdota;
- contarnos anécdotas y reaccionar a ellas, reflexionar sobre los usos del pasado comparándolos con otras lenguas;
- y a ver un cortometraje sobre la vida de un lápiz.

VAMOS A APRENDER...

- a combinar el pretérito indefinido y el pretérito imperfecto para relatar en pasado;
- **estaba** + gerundio;
- algunos adverbios que terminan en **–mente**;
- verbos para introducir diálogos: **decir**, **responder**, **exclamar**...;
- a organizar relatos escritos y orales con: **una vez**, **un día**, **entonces**, **de pronto**, **finalmente**, **total**, **que**...;
- a reaccionar ante una anécdota: **¿En serio?**, **¿Ah sí?**, **¡Qué bien!...**;
- léxico para contar historias de miedo.

¡Excusas!

A. Julio no ha hecho los deberes. ¿Qué excusas pone? ¿Qué le dice finalmente a la profesora? Coloca los textos en cada viñeta.

- El perro se comió mi libreta. Es que tenía mucha hambre…
- Mañana, seño…, ¡mañana los traigo!
- Mi hermana pequeña cogió mis deberes e hizo un dibujo encima…
- No tuve tiempo porque era el cumpleaños de mi padre y…
- Anoche no pude hacer nada. Es que tenía fiebre…

2 UNA HISTORIA INCREÍBLE

1. Supertoño CE: 5 y 6 (p. 18), 11 (p. 22)

A. ¿Qué superhéroes conoces? ¿Qué tienen en común?

B. A Toño le pasó algo muy misterioso ayer. Lee la historieta de esta página. ¿Qué crees que pasó después?

AYER A LAS TRES LLAMÉ A ISABEL Y QUEDAMOS PARA IR AL CINE.

NOS ENCONTRAMOS DELANTE DEL CINE A LAS CUATRO Y MEDIA.

COMPRAMOS LAS ENTRADAS, PALOMITAS Y UNAS BEBIDAS.

LA PELÍCULA EMPEZÓ A LAS CINCO EN PUNTO.

DE PRONTO, SE OYÓ UNA EXPLOSIÓN Y RÁPIDAMENTE EMPEZÓ A LLENARSE LA SALA DE HUMO.

ISABEL SE DESMAYÓ. A PARTIR DE ESE MOMENTO NO RECUERDO NADA...

C. Ahora, con un compañero, mirad los dibujos de página siguiente. ¿Cómo sigue la historia? Hay dos frases para cada viñeta.

INDEFINIDO E IMPERFECTO CE: 1 (p. 17), 7 (p. 20), 12 (p. 22), 1 (p. 26)
PARA CONTAR HISTORIAS

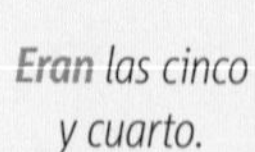

Eran las cinco y cuarto.

El cine estaba lleno.

Estaba en el cine con Isabel.

La película era muy emocionante.

El imperfecto es como una cámara de fotos: muestra una situación como en una imagen fija, no hay ningún cambio.

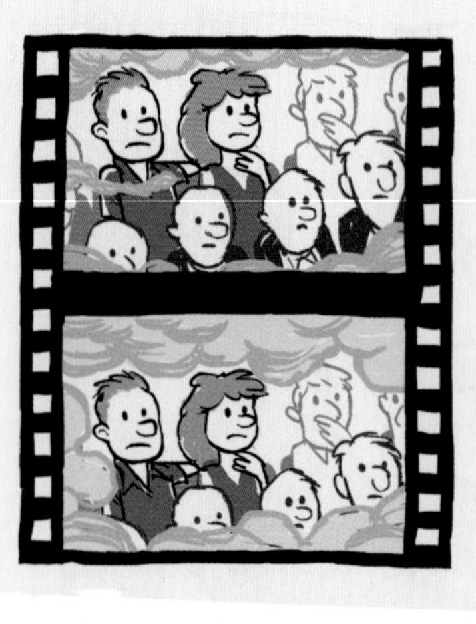

*Entonces, la sala **se llenó** de humo.*

El indefinido es como una película: relata una acción, hay cambios y suceden cosas.

LOS BOMBEROS EMPEZARON A APAGAR EL FUEGO.

DE PRONTO, TOÑO SE CONVIRTIÓ EN SUPERTOÑO.

VARIOS PERIODISTAS LO RODEARON Y LE HICIERON FOTOS Y PREGUNTAS.

CORRIÓ CON ISABEL EN BRAZOS.

SE SENTÓ EN UN BANCO, TOTALMENTE DESCONCERTADO.

EN UNOS MINUTOS, EL CINE ARDIÓ COMPLETAMENTE.

2. Los detalles de la historia ▶ CE: 2 (p. 27)

Pista 13

A. Toño ha empezado a recordarlo todo y le cuenta a una amiga los detalles de su historia. Lee y escucha la conversación. Luego, corrige las frases que has colocado en la actividad 1B, si es necesario.

- ● La verdad es que no sé muy bien qué pasó... Solo que de pronto noté algo raro: me sentía tranquilo, no tenía miedo...
- ○ ¿No tenías miedo?
- ● No, estaba tranquilo. Isabel estaba en el suelo, desmayada. La cogí en brazos. Y salí corriendo, casi volando. ¡Parecía que tenía alas!
- ○ ¿Y luego?
- ● Fuera había un lío terrible: la gente estaba muy nerviosa, había bomberos, ambulancias... Dejé a Isabel con unos médicos... Y me senté ahí cerca. ¡Todo era tan raro!
- ○ ¡Ya lo creo!
- ● Luego llegaron los periodistas y me hicieron muchas preguntas. ¡Mira la foto del periódico!
- ○ Oye, ¿y esa camiseta?
- ● Bueno, mmm..., ejem... No sé... Yo no la llevaba al llegar al cine. Pero no se lo digas a nadie...

B. En este texto aparecen juntos dos tiempos del pasado. ¿Puedes clasificarlos en esta tabla?

PRETÉRITO INDEFINIDO	PRETÉRITO IMPERFECTO
pasó	me sentía

C. Ahora observa los verbos de la tabla en su contexto y di si sirven para:

- **describir** una escena (no cambia nada)
- **relatar** un hecho (pasa algo, hay cambios)

*Pues yo **estaba** en un banco, descansando. Delante del cine **había** ambulancias, bomberos... y la gente **estaba** muy nerviosa. Entonces **vinieron** unos periodistas y **me hicieron** preguntas.*

ADVERBIOS EN -MENTE

▶ CE: 4 (p. 18)

completa → *completa**mente***
rápida → *rápida**mente***

total → *total**mente***
fácil → *fácil**mente***

MINIPROYECTO

En parejas, uno es un periodista y el otro Supertoño. Escribid tres preguntas y sus respuestas. Después las leéis delante de la clase.

PERDIDOS EN EL BOSQUE

Eran las siete, empezaba a anochecer y los tres amigos... ¡estaban completamente perdidos en el bosque!

–Chicos, la verdad es que no tengo ni idea de dõnde estamos. –dijo Félix.
–¿Nos hemos perdido? ¡Qué divertido! –comentó Susana–. ¡Pasar la noche en el bosque puede ser una aventura!
–No, no, ¡llamamos por teléfono y ya está! –exclamó Gastón–. Seguro que este bosque está lleno de animales y de... fantasmas... esto no me gusta nada, ¡qué miedo!
–Tranquilos, ahora mismo llamo –dijo Félix mientras buscaba su móvil. Pero entonces se dio cuenta de algo:– ¡Oh, no! ¡No tenemos cobertura!

3. ¡Qué horror!

A. Con un compañero, mirad el dibujo y, sin leer el texto, imaginad:

- ¿Dónde están estos chicos?
- ¿Qué parte del día es?
- ¿Cómo se sienten?
- ¿Qué están haciendo?

B. Ahora lee la historia y contesta:

1. ¿Quiénes son los protagonistas de la historia?
2. ¿Qué hora era aproximadamente?
3. ¿Dónde estaban?
4. ¿Qué estaban haciendo?
5. ¿Qué tiempo hacía?
6. ¿Por qué pasaron tanto miedo?
7. ¿Qué pasó?
8. ¿Por qué no pidieron ayuda?
9. ¿Qué le pasó a Gastón?
10. ¿Cómo terminó la historia?

VERBOS PARA INTRODUCIR DIÁLOGOS CE: 1 (p. 25)

decir
preguntar
responder
contestar
gritar
exclamar
comentar
pensar

*– ¿Por qué no entramos en esa casa? –**preguntó** Jorge.*

*Íngrid **pensó**: "A mí me dan miedo las casas abandonadas."*

*– ¡¡¡Chicos, creo que he visto una sombra!!! – **exclamó** Francisco.*

*– ¡Vale! ¡Qué divertido! –**respondió** Sara.*

*Javi **dijo**: – Seguro que te lo has imaginado.*

–¿Qué vamos a hacer? –preguntó Gastón llorando.
–Pues nada, seguir andando –contestó Félix.
De pronto, Susana gritó:
–¡¡Mirad, se ve una luz, allí, parece una casa…!! ¡¡¡Qué suerte!!!
–¿Quién puede vivir en un lugar tan aislado? –preguntó Félix.
–¿Una bruja? –pensó Gastón.

Se acercaron a la casa despacio. Entonces Félix y Susana oyeron detrás de ellos un ruido extraño y se pararon. Susana iluminó con la linterna hacia allí…
–¡Ja, ja, ja! Si es un gatito…¡Qué susto! –se rió. Y volvieron al camino.

Los tres chicos estaban caminando en fila cuando de repente, Gastón desapareció. Entonces empezó a llover y a soplar un viento muy fuerte. Casi no se podía ver el camino y tenían miedo. Susana y Félix estaban buscando y llamando a Gastón sin parar cuando de pronto oyeron unos gritos:
–¡Aquí, aquí! Por favor, ¡ayuda! ¡Qué asco! ¡Ay!, mi brazo. ¡Qué daño!
–¡¡Ya vamos Gastón, tú tranquilo!! –gritó Félix.

Corrieron hacia allí y finalmente lo encontraron: Gastón estaba ¡en un pequeño establo de cerdos! Los animales lo miraban con curiosidad, pero Gastón estaba asustado y muy sucio. Entonces se abrió la puerta de la casa y salió una señora con aspecto de abuela encantadora.

–Pero chicos, ¿qué hacéis en el bosque a estas horas y con esta lluvia? –exclamó.– ¡Entrad y llamamos a vuestros padres ahora mismo! ¿Quién quiere una taza de chocolate caliente?

C. Traduce estas tres frases en pasado a tu lengua y a otra que conozcas. ¿Existen los tres tiempos verbales? ¿Se usan de la misma forma? Busca las frases 2 y 3 en el texto y fíjate en su contexto para traducirlas.

1. Hoy **he leído** una historia de miedo.	Pretérito perfecto
2. Entonces **se abrió** la puerta de la casa y **salió** una señora.	Pretérito indefinido
3. **Eran** las siete, **empezaba** a anochecer….	Pretérito imperfecto

Pista 14

D. Escucha la historia *Perdidos en el bosque* y fíjate bien en cómo es la entonación:

- **En la narración:** ¡Atentos a las pausas!
- **En los diálogos:** preguntas, exclamaciones, etc.
- **En las explicaciones de los diálogos:** ¿Qué ocurre con el tono de voz?

E. Ahora, en grupos, vais a pensar tres pequeños cambios en la historia y vais a volverla a escribir. Debéis cambiar:

- Un personaje o animal
- Un espacio o lugar
- Algo que dice un personaje

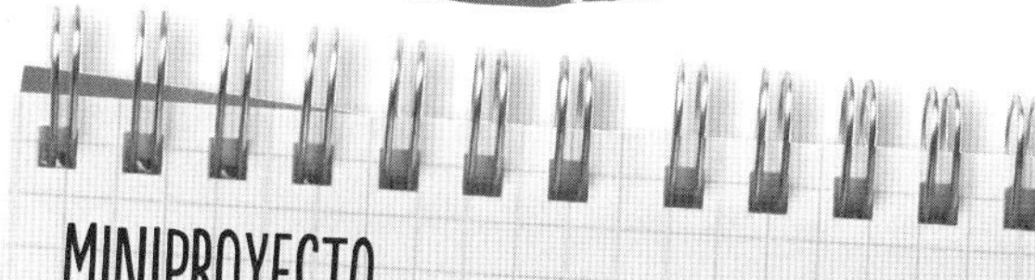

APRENDER A APRENDER
La **entonación** es muy importante tanto para entender lo que escuchas como para expresarte bien. Con ella también damos una **información clave** para interpretar los mensajes.

MINIPROYECTO

Ahora cada grupo lee su versión de la historia en voz alta. Recordad: es una historia de miedo con mucho suspense. Atended a la entonación y construid e integrad en la lectura los efectos especiales. Los demás tendrán que detectar los tres cambios introducidos.

Personajes:
1. Gastón
2. Félix
3. Susana
4. el gato y la señora
5. el narrador

PARA ORGANIZAR UN RELATO ESCRITO

CE: 8 (p. 20), 15 y 16 (p. 24)

PARA EMPEZAR
Era un lunes… / Una vez…

PARA CONECTAR
De repente / De pronto
Entonces… / Y luego…
Cuando…

PARA TERMINAR
Finalmente / Al final

ESTABA + GERUNDIO

- *¿Y cuando entraron los ladrones, tú qué **estabas haciendo**?*
- *Pues **estaba durmiendo**.*

***Estábamos caminando** por el bosque y entonces empezó a llover.*

4. ¿En serio? CE: 1 (p. 28)

A. ¿Recuerdas cómo reacciona el amigo de Toño a su historia? Cuando nos cuentan algo solemos mostrar interés de distintas formas. Lee estas conversaciones y completa una ficha como esta para cada una.

Conversación número: ____

El interlocutor (en color), ¿qué hace en cada conversación?

- Pide más información.
- Repite una parte.
- Expresa un sentimiento (sorpresa, miedo...).
- Da la razón al que habla.

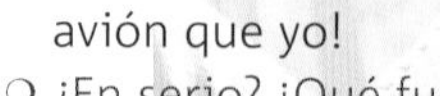

1

- ● ¿Sabes lo que me pasó una vez?
- ○ No, ¿qué?
- ● Pues que estaba en el aeropuerto porque me iba a hacer un curso de inglés a Londres y de repente vi a... ¡Cristiano Ronaldo!
- ○ ¡Anda! ¿De verdad?
- ● Sí, sí. Y además, ¡iba en el mismo avión que yo!
- ○ ¿En serio? ¡Qué fuerte!

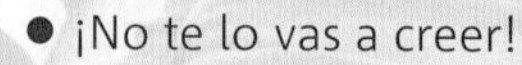

2

- ● El profe me dio el examen y yo me enfadé mucho por la nota y le dije: "no es justo".
- ○ ¿Y él qué te dijo?
- ● Pues que puedo hacer un trabajo para el lunes para subir la nota.
- ○ ¡Qué bien!, ¿no?
- ● Sí, porque creo que puedo aprobar.
- ○ Claro, ¡seguro que sí!

3

- ● ¡No te lo vas a creer!
- ○ ¿Qué?
- ● Pues que el otro día estaba haciendo un trabajo en casa de Laura y... pasó una cosa muy rara.
- ○ ¿Qué pasó?
- ● ¡Que creo que vi un fantasma!
- ○ ¡¿Un fantasma?! ¿En serio?
- ● ¡Sí! Estábamos solas en casa y de pronto vi una sombra detrás de una puerta... ¡Parecía una vieja!
- ○ Ay Raquel, ¡qué miedo! ¿Y qué hiciste?
- ● Fue horrible... Se lo dije a Laura, pero no me creyó. Total, que me inventé una excusa y me fui a mi casa, ¡estaba muerta de miedo!

Pistas 15-17

B. Escucha las conversaciones anteriores fijándote en la entonación y luego represéntalas con un compañero.

Pistas 18-24

C. Ahora escucha estas anécdotas y reacciona como en las conversaciones anteriores, hablando con las personas que las cuentan.

REACCIONAR ANTE UNA ANÉCDOTA CE: 3 (p. 18)

EXPRESAR SORPRESA
¿De verdad?
¿En serio?
¡Anda!
¿Ah, sí?

DAR LA RAZÓN
Claro.
Es verdad.
Seguro que sí.

PEDIR MÁS INFORMACIÓN
¿Qué?
¿Y (entonces...) qué pasó?
¿Y qué te dijo?
¿Y qué hiciste?
¿Por qué?

¡QUÉ + SUSTANTIVO!
¡**Qué** miedo!
¡**Qué** suerte!
¡**Qué** horror!

¡QUÉ + ADJETIVO!
¡**Qué** fuerte!
¡**Qué** divertido!

¡QUÉ + ADVERBIO!
¡**Qué** bien!

5. Pues a mí una vez...

CE: 3 (p. 27)

Pista 25

A. Escucha y lee lo que le pasó a Izaskun. Contesta brevemente: ¿qué le pasó?

Yo, una vez, cuando tenía seis años, estaba con mi madre en unos grandes almacenes, buscando un regalo para mi primo, y me perdí. Como no sabía qué hacer, me senté a leer en el suelo, en la sección de cuentos infantiles, pero no se dio cuenta nadie. Y claro, todo el mundo estaba muy nervioso, sobre todo mi madre, pero ¡yo estaba leyendo tan tranquila! Total que al final, después de dos horas me encontraron... ¡¡Y mi madre se enfadó mucho conmigo!!

B. Ahora completa este esquema con las distintas informaciones que ha dado Izaskun.

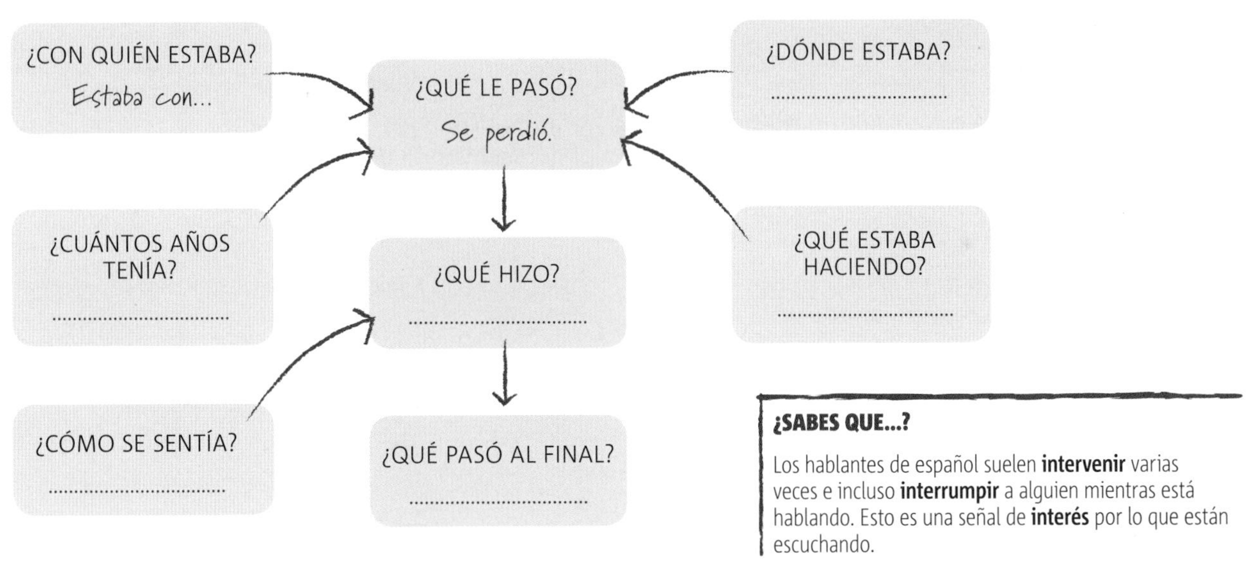

¿SABES QUE...?

Los hablantes de español suelen **intervenir** varias veces e incluso **interrumpir** a alguien mientras está hablando. Esto es una señal de **interés** por lo que están escuchando.

PASAR (algo) CE: 2 (p. 25)

- *¿Sabéis qué **pasó** el lunes en el cole?*
- *No, ¿qué?*
- *Pues que un chico de cuarto se quedó encerrado en el cole toda la noche. Lo encontró el conserje por la mañana...*

PASAR(LE) (algo a alguien)

- *¿Sabéis qué **le pasó** el lunes a Julio?*
- *No, ¿qué?*
- *Que se quedó toda la noche encerrado en el cole.*

- *Pareces triste, ¿qué **te pasa**?*
- *Que he suspendido Mates.*

ORGANIZAR UN RELATO ORAL

PARA EMPEZAR
Una vez... / Un día... / El otro día...

PARA CONECTAR
(Y) Entonces... / (Y) De pronto... / (Y) De repente...

PARA TERMINAR
Al final... / Total que... / O sea que...

MINIPROYECTO

Ahora piensa en una anécdota que te haya ocurrido a ti o a algún conocido. Rellena un esquema parecido al de la actividad 5B. Luego, redacta tu anécdota y cuéntasela a la clase.

HISTORIAS TERRORÍFICAS

1. Completa las expresiones siguientes con las palabras del dibujo o con otras que conozcas.

Estaba en un *castillo encantado.*

Era un lugar... | *terrorífico.*
....
....

De pronto escuché un/a | *sonido.*
....
....

Vi algo. Parecía un/a | *sombra.*
....
....
....

Pasé mucho *miedo.*
Me asusté.

castillo encantado
terrorífico
horrible
bruja
sombra
monstruo
ruido
fantasma
Ñeeec
¡AAAh!
grito
miedo
extraño

Pista 26

2. Ahora escucha estos ruidos misteriosos y toma notas de lo que te sugieren. Luego, con dos compañeros escribid una pequeña historia de miedo.

RELATAR EN PASADO CE: 2 (p. 17), 10 (p. 21), 13 y 14 (p. 23)

Cuando contamos historias o anécdotas combinamos distintos tipos de pasado:

- El **pretérito indefinido** (o el pretérito perfecto), para relatar los hechos o acciones principales de nuestra historia.
- El **pretérito imperfecto**, para describir el contexto, es decir: las situaciones, escenarios, etc. que "rodean" al hecho que queremos contar.

Ayer ***llegué*** *tarde a casa.* ***Había*** *una ventana abierta y* ***estábamos*** *a -1 °C.* ***Nevaba. Cerré*** *la ventana y* ***encendí*** *la calefacción, pero* ***tuve*** *frío toda la noche.*

Siempre usamos el **indefinido** cuando presentamos la duración de una acción.

Yo ***viví*** *(durante) tres años en Alemania.*

2007 — en Alemania — 2009

Durante mes pasado ***llovió*** *mucho.*
La guerra ***duró*** *tres años.*

Siempre usamos el **imperfecto** cuando hablamos de acciones habituales:

El año pasado todos los días ***iba*** *a la escuela en bicicleta.*

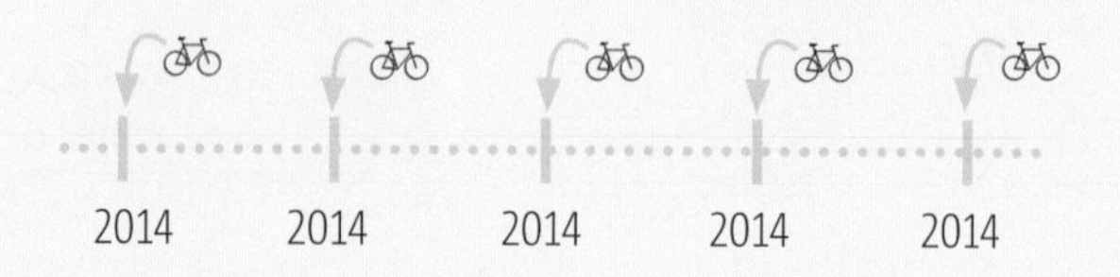

De pequeños (siempre) ***cenábamos*** *a las 8.30 y* ***nos acostábamos*** *a las 10.*

1. Elige la forma adecuada.

Recuerdo un día que fuimos / íbamos de excursión toda la clase al Museo Picasso. Fue / Era un día de primavera, y hizo / hacía muy buen tiempo. Hizo / Hacía calor, pero no demasiado. Fuimos / Íbamos al museo en autobús todos los chicos y chicas de mi clase, acompañados por nuestra profesora de arte, la señorita Paula. Ella fue / era una profesora joven que muchas veces nos llevó / llevaba a ver exposiciones de pintura, obras de teatro y conciertos. Llegamos / llegábamos al museo muy temprano y vimos / veíamos la colección permanente de pinturas de Pablo Picasso. ¡Qué cuadros tan extraños!

2. Completa la segunda parte de la historia con la forma correcta.

Cuando terminamos la visita, (salir) .... otra vez a la calle, donde nos (estar) .... esperando el autobús para volver al colegio. Entonces yo (ver) .... un puesto de helados. Rápidamente y sin pensarlo, (cruzar) .... la calle y (comprar) .... un helado. Solo (tardar) .... unos minutos, pero cuando (volver) .... , el autobús ya no (estar) .... (Volver) .... andando yo solo al colegio. Cuando (llegar) .... al colegio mi profesora (estar) .... muy enfadada.

IMPERFECTO DE ESTAR + GERUNDIO

CE: 9 (p. 21)

estaba estabas estaba estábamos estabais estaban	→ estudi**ando** com**iendo** durm**iendo**

*Ernesto **estaba estudiando** en su habitación cuando oyó un ruido en el comedor. Se levantó...*

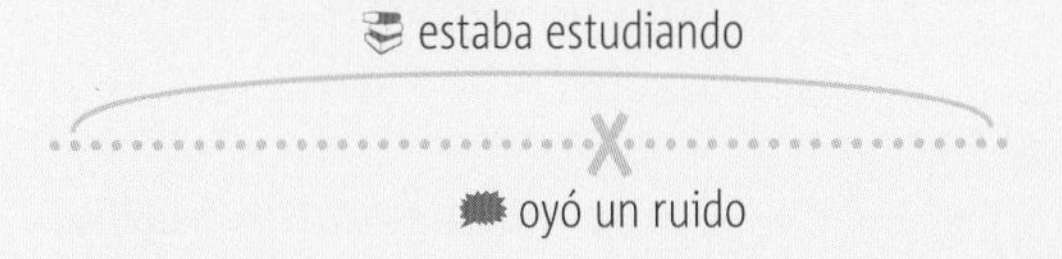

- *¿Qué **estabas haciendo** ayer a las 8 de la tarde?*
- ***Estaba estudiando** en mi habitación.*

Con pronombres:
***Me** estaba duchando.*
*Estaba duchándo**me**.*

~~*Estaba me duchando.*~~

3. Escribe la primera parte de las frases siguientes con las palabras de una de las cajas y el verbo conjugado adecuadamente.

dormir tranquilamente | comer una ensalada | tomar el sol en la playa | comprar en el supermercado

a. ...cuando de pronto empezó a llover.
b. ...cuando vi que en el plato había algo raro.
c. ...y sonó el móvil de mi madre con un volumen super-alto.
d. ...y nos encontramos con mis primos.

4. Las frases del ejercicio 3 son principios de anécdotas. Inventa un final para cada una de ellas.

5. ¿Qué estabas haciendo...

a. ...ayer a las 2 de la tarde?
b. ...anteayer a las 7 de la mañana?
c. ...el domingo a las 11 de la mañana?
d. ...el sábado a las 6 de la tarde?
e. ...el lunes a las 11 de la noche?
f. ...el miércoles a las 12 del mediodía?

ADVERBIOS EN -MENTE

CE: 17 (p. 24)

Forma femenina del adjetivo + -**mente**

completa → completa**mente**
rápida → rápida**mente**

Adjetivos con una sola forma (no tienen masculino y femenino): + -**mente**

fácil total	+ -mente	fácil**mente** total**mente**

Con verbos (describimos cómo se realiza una acción):

*Se acercó **lentamente**.*
*Me sonrió **amablemente**.*
*El cine ardió **completamente**.*

Con adjetivos (para intensificarlos):

*El cine estaba **totalmente** destruido.*
*Es un tema **realmente** interesante.*
*Están **completamente** enamorados.*

6. Forma el adverbio a partir de los siguientes adjetivos.

a. rápido
b. lento
c. difícil
d. probable
e. real
f. total

7. Completa cada frase con uno de los adverbios de la actividad 6.

a. .... aprobaré el examen, no he estudiado nada de nada.
b. El hombre del tiempo ha dicho que mañana el cielo estará .... nublado.
c. Ayer terminamos el trabajo............................ y enseguida nos fuimos a merendar.
d. No es seguro, pero .... el próximo año me cambiaré de instituto.
e. .... no sucedió como lo cuenta Toño. Ahora os voy a contar la verdad.
f. Ese hombre hablaba tan .... que casi me duermo.

LA REVISTA

Historias en verso

En la Edad Media los **juglares** llevaban las noticias de pueblo en pueblo y las recitaban o cantaban con instrumentos musicales. Hablaban de aventuras y también de historias de amor. Se escribían en verso y con rima para que la gente pudiera memorizarlos. La forma más tradicional es el **romance**.

ROMANCE DEL CONDE OLINOS

Pista 27

Madrugaba el Conde Olinos,
mañanita de San Juan,
a dar agua a su caballo
a las orillas del mar.

Mientras el caballo bebe,
canta un hermoso cantar,
las aves que iban volando
se paraban a escuchar.

La reina lo estaba oyendo
desde su palacio real.
—Mira hija, cómo canta
la sirena de la mar.

—No es la sirenita, madre,
que esa tiene otro cantar;
es la voz del Conde Olinos
que me canta a mí un cantar.

—Si es la voz del Conde Olinos
yo le mandaré matar;
que para casar contigo
le falta la sangre real.

—No le mande matar, madre,
no le mande usted matar;
que si mata al Conde Olinos
a mí la muerte me da.

Guardias mandaba la Reina
al Conde Olinos buscar,
que le maten a lanzadas
y echen su cuerpo a la mar.

La infantina, con gran pena,
no dejaba de llorar.
Él murió a la media noche
y ella, a los gallos cantar.

Fuente: Anónimo del siglo XV (fragmentos); música y voz de Joaquín Díaz, *Cancionero de romances*

La mano

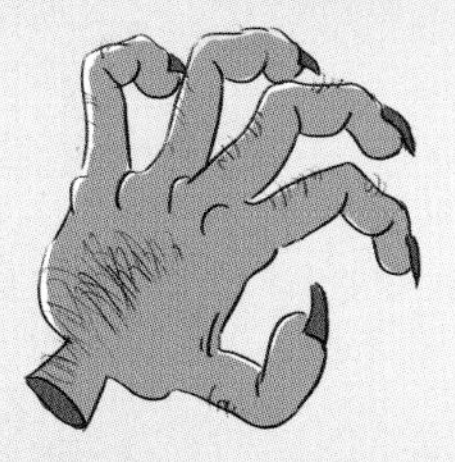

El doctor Alejo murió asesinado. Indudablemente murió estrangulado. Nadie había entrado en la casa, indudablemente nadie, y aunque el doctor dormía con el balcón abierto, por higiene, era tan alto su piso que no era de suponer que por allí hubiese entrado el asesino. La policía no encontraba la pista de aquel crimen, y ya iba a abandonar el asunto, cuando la esposa y la criada del muerto acudieron despavoridas a la Jefatura. Saltando de lo alto de un armario había caído sobre la mesa, las había mirado, las había visto, y después había huido por la habitación, una mano solitaria y viva como una araña. Allí la habían dejado encerrada con llave en el cuarto.

Llena de terror, acudió la policía y el juez. Era su deber. Trabajo les costó cazar la mano, pero la cazaron y todos le agarraron un dedo, porque era vigorosa como si en ella radicase junta toda la fuerza de un hombre fuerte. ¿Qué hacer con ella? ¿Qué luz iba a arrojar sobre el suceso? ¿Cómo sentenciarla? ¿De quién era aquella mano?

Después de una larga pausa, al juez se le ocurrió darle la pluma para que declarase por escrito. La mano entonces escribió: «Soy la mano de Ramiro Ruiz, asesinado vilmente por el doctor en el hospital y destrozado con ensañamiento en la sala de disección. He hecho justicia».

Ramón Gómez de la Serna (Madrid, 1888 - Buenos Aires, 1963) fue un escritor español conocido por inventar las **greguerías**, brevísimos textos filosóficos o humorísticos, siempre ingeniosos.

¿Podrías inventar una greguería? Observa los ejemplos.

La cabeza es la pecera de las ideas.

VÍDEO

El número

Un lápiz nos cuenta su vida en primera persona: su nacimiento, en la fábrica, dónde vive, sus sueños y su destino inesperado.

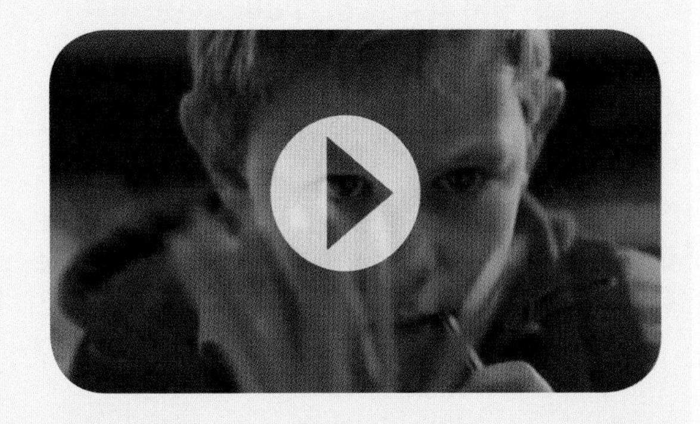

CANCIÓN

The Speak Up Mambo

Pista 28

Cuéntame qué te pasó.
Cuéntame qué te pasó.
Estaba allá en la playa
jugando con el agüita
y vino una abejita y me picó
ay, ay...
Cuéntame qué te pasó.
Cuéntame qué te pasó.
Estaba...

Fragmento de la canción "The Speak Up Mambo" (*Al Castellanos y su orquesta cubana*, 1958), de Al Castellanos

¿Cómo puede seguir la canción? Inventa tú una nueva estrofa.

El vapor es el fantasma del agua.

CONCURSO DE RELATOS

VAMOS A ORGANIZAR UN CONCURSO DE RELATOS DE MISTERIO.

¿QUÉ NECESITAMOS?

Sin grabarnos:
- un ordenador o un reproductor de música
- disfraces y otros objetos para el decorado
- un espacio para la representación

Grabándonos:
- una cámara o móvil
- un proyector para vernos luego

A. En grupos (de cuatro a seis personas) vais a inventar una historia y a contarla después a los compañeros. Leed las normas del concurso y pensad en posibles temas.

Reglas del concurso:

Debéis hablar de lo siguiente:

A. **Dónde** ocurre la historia: en un bosque, en el campo, en una casa, en un museo, en un castillo...
B. **Cuándo** ocurre: en invierno, en verano, de día, de noche, a qué hora...
C. **Quiénes** son los protagonistas y una descripción.
D. En **qué** situación se encuentran.
E. **Cómo** termina la historia.

Debéis contar la historia combinando:
- un **narrador**, que cuenta la historia en pasado
- **diálogos** entre los personajes

B. Escribid la historia. Podéis añadir ruidos y música y utilizar objetos y ropa para disfrazaros.

C. Ensayad tantas veces como necesitéis. Luego, representadla delante de toda la clase.

D. La clase vota:
- **a.** La historia mejor escrita.
- **b.** La historia mejor representada.
- **c.** La historia que da más miedo.

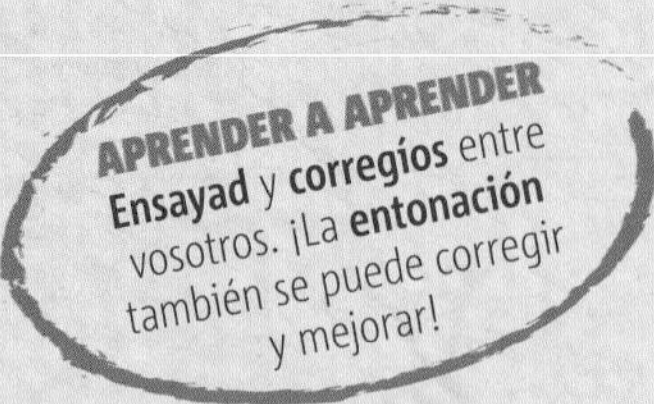

APRENDER A APRENDER
Ensayad y **corregíos** entre vosotros. ¡La **entonación** también se puede corregir y mejorar!

COMPRENSIÓN LECTORA

1. Lee esta historia y contesta a las preguntas. Luego, ponle un título.

1. ¿Dónde está Adriana?
2. ¿Por qué tiene miedo?
3. ¿Qué ha pasado?
4. ¿Quién la ayuda?

TÍTULO:

Y de repente, se apagó la luz. Adriana pudo por fin abrir la puerta. No se oía ningún ruido y todo estaba oscuro.

– Es imposible, pensó. Los otros tienen que saber que estoy aquí. No se pueden marchar...
Empezó a andar todo recto y después hacia la derecha. Sí, recordaba que ese era el camino. A la derecha, después otra vez a la derecha y al final a la izquierda.

– Venga, Adriana, sin miedo, se dijo a sí misma. Seguro que tus amigos están esperándote.

De repente oyó un ruido y vio una luz. No sabía qué hacer. ¿Era ayuda o peligro? Al final decidió gritar.

– ¡Por favor, ayuda, estoy aquí! ¡Me he quedado encerrada en los servicios y no he podido abrir la puerta hasta ahora!

Adriana vio como la luz se acercaba y oyó la voz de un hombre.

– Señorita, no se preocupe, ya voy. Ha habido un problema con la electricidad y hemos sacado a todos los visitantes del museo. No sabía que había alguien en los servicios. Lo siento mucho.

COMPRENSIÓN ORAL

Pistas 29-31

2. Escucha tres anécdotas y completa esta tabla:

	¿DÓNDE ESTABAN?	¿QUÉ PASÓ?	¿CÓMO TERMINÓ?
Anécdota 1			
Anécdota 2			
Anécdota 3			

EXPRESIÓN ESCRITA

3. Completa esta historia (unas 75 palabras).

Eva estaba en la biblioteca haciendo el proyecto de Geografía. Ya estaba terminando, cuando abrió uno de los libros y de pronto vio...

....

....

....

....

....

Cuando volvió a clase y se lo contó a todos sus compañeros y no se lo podían creer.

EXPRESIÓN ORAL

4. Escoge una de las historias de la unidad. Prepárala y cuéntasela a tus compañeros.

INTERACCIÓN ORAL

5. Pensad en una anécdota que os ha ocurrido a vosotros o a alguien que conozcáis, preparadla para contársela a vuestro compañero/-a y él / ella tiene que reaccionar. Luego os cambiáis los papeles.

UNA PAUSA PARA LA PUBLICIDAD

1

2

NUESTROS PROYECTOS: VAMOS A GRABAR UN ANUNCIO PUBLICITARIO Y A REDACTAR LAS NORMAS DE LA CLASE.

VAMOS A...

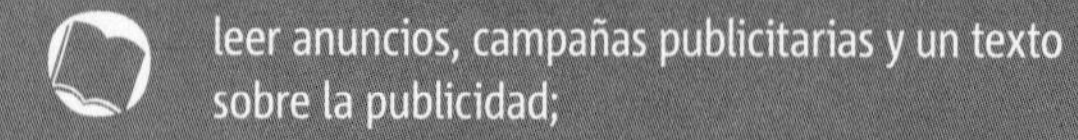

- leer anuncios, campañas publicitarias y un texto sobre la publicidad;

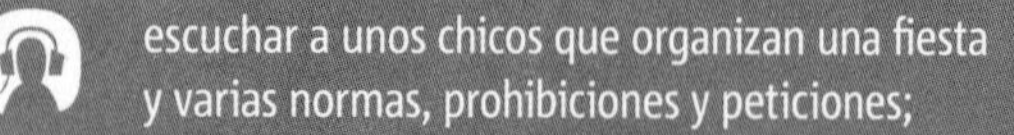

- escuchar a unos chicos que organizan una fiesta y varias normas, prohibiciones y peticiones;

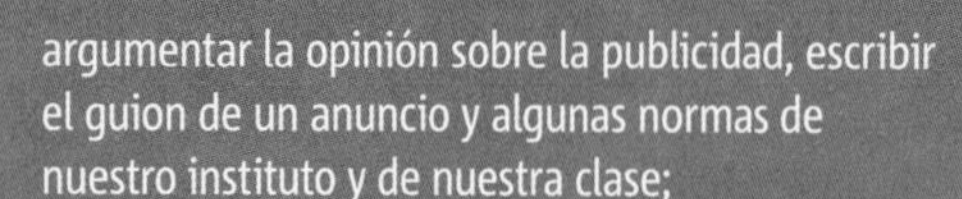

- argumentar la opinión sobre la publicidad, escribir el guion de un anuncio y algunas normas de nuestro instituto y de nuestra clase;
- analizar anuncios y formular normas (obligación, prohibición y permiso);

- discutir sobre algunas normas, dar y recibir órdenes e instrucciones;
- ver una campaña de Amnistía Internacional sobre la pobreza.

VAMOS A APRENDER...

- el imperativo afirmativo;
- el imperativo afirmativo con pronombres;
- a formular normas y prohibiciones: **(no) hay que**, **(no) se puede**, **debemos**, **es obligatorio**, **está prohibido**...;
- a hablar de permisos: **se puede**, **nos dejan**...;
- a hacer valoraciones: **me parece bien** / **normal** / ..., **creo que está bien** / **es injusto** / ...
- los verbos **dejar**, **poner(se)** y **deber**;
- léxico para situar en el espacio;
- léxico para hablar de la publicidad.

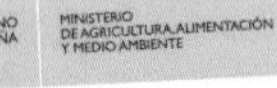

¿Te gusta la publicidad?

A. Observa estos carteles y objetos publicitarios y di qué es cada uno de ellos.

- una campaña de protección del medio ambiente
- una campaña para consumir alimentos sanos
- anuncios de una librería

B. ¿Cuál de estos carteles te parece más...

divertido / bonito / original / aburrido?

C. Ahora, con un compañero, contestad a las siguientes preguntas:

- ¿Te fijas en los anuncios?
- ¿Hay algún anuncio que te guste mucho?
- ¿Alguno que no soportes?

● Hay un anuncio que me gusta. Es uno de...
○ Pues yo no soporto el anuncio de... porque...

1. Publicidad al microscopio

CE: 1 (p. 29), 3 (p. 31), 1 (p. 37)

A. Con un compañero, observad estos anuncios y completad una ficha como esta.

	Producto anunciado	Marca	Eslogan	¿Tiene logotipo?	Público destinatario
Anuncio 1					
Anuncio 2					
Anuncio 3					

B. Vuelve a observar los anuncios y en grupos contestad a estas preguntas:

- ¿Alguno manipula al consumidor?
- ¿Alguno es sexista?
- ¿Alguno te convence para comprar el producto?

C. Fíjate en los imperativos que hay en los eslóganes. Márcalos. ¿Alguno de ellos va acompañado por un pronombre?

LA PUBLICIDAD

2. Somos críticos

CE: 6 (p. 33), 12 (p. 36), 2 (p. 38)

A. Discute con tu compañero las frases siguientes. ¿Con cuáles estáis de acuerdo? ¿Con cuáles en desacuerdo?

La publicidad...

- suele ser sexista.
- siempre dice mentiras.
- es útil para educar y concienciar a la gente.
- no nos influye casi nada.
- está al servicio del consumismo.
- ofrece una imagen irreal de la sociedad, donde todos son felices y perfectos.
- puede ser muy creativa y estimulante.

B. Lee el artículo y escribe en tu cuaderno una lista de tres ideas con las que estés de acuerdo y tres ideas con las que no.

Estoy de acuerdo 	No estoy de acuerdo 
Se utiliza para difundir hábitos socialmente positivos. ...	Es un instrumento peligroso. ...

C. Ahora escribe un pequeño texto (entre 70 y 80 palabras) con el título: "La publicidad y yo". Habla de lo siguiente:

- Si te gusta, te molesta...
- Qué anuncios te gustan o no, y por qué.
- Qué puede tener de bueno y de malo.

APRENDER A APRENDER
Para escribir un **texto argumentativo**, usa los **conectores** adecuados para unir y relacionar las ideas.

EL PODER DE LA PUBLICIDAD

La publicidad forma parte de la cultura de nuestra sociedad. Influye en la moda, en las costumbres y en los comportamientos de las personas, y muy especialmente, de la gente joven. Las imágenes, la música y los eslóganes intentan despertar los instintos y las emociones, pero no la razón. O sea, que la publicidad quiere hacer consumir de forma impulsiva, sin pensar. Para los niños y los jóvenes, más influenciables y menos críticos, la publicidad puede ser un instrumento peligroso:

- crea la necesidad de consumir productos innecesarios,
- puede crear adicciones y malos hábitos, por ejemplo en el caso de la alimentación
- y ofrece con frecuencia modelos de comportamiento sexistas, insolidarios o agresivos.

NO TODO ES NEGATIVO

El poder de la publicidad también sirve para difundir información y concienciar a la gente sobre distintos temas. Por ejemplo, las campañas para fomentar la solidaridad, el reciclaje o la alimentación saludable han ayudado a educar a jóvenes y a adultos. Además, la publicidad comercial también incluye cada vez más mensajes que fomentan valores positivos como el respeto por el medio ambiente.

¿SOLUCIONES?

Los educadores y los sociólogos han hecho muchas propuestas para hacer frente a la influencia negativa de la publicidad en los más jóvenes.

Algunos, como la canadiense Naomi Klein, autora del libro *No logo*, o el sociólogo francés Paul Ariès, impulsor de la campaña antipublicidad "Desmárcate", defienden el boicot a las marcas comerciales. Otros quieren controlar las imágenes y los modelos que ofrece la publicidad, y denuncian todos aquellos anuncios considerados sexistas o violentos. Pero todos, padres, madres, políticos, sociólogos y educadores, están de acuerdo en que los chicos y las chicas deben recibir, desde la infancia, la información necesaria para convertirse en consumidores bien preparados, críticos y con capacidad para tomar las decisiones correctas.

CONECTORES PARA ARGUMENTAR

REFORMULAR
*La publicidad sirve para hacernos comprar cosas, **o sea**, para manipularnos.*

PRESENTAR CAUSAS Y CONSECUENCIAS
*Me gusta mucho el anuncio de Fresh **porque** es original.*
*Algunos anuncios hacen pensar, reír o llorar, **por eso** me gusta la publicidad.*

PONER UN EJEMPLO
*Hay anuncios que son sexistas, **por ejemplo**, el del videojuego para chicas.*

MINIPROYECTO

Cada uno debe traer a clase un anuncio en español (un recorte de una revista, un vídeo de internet...). En grupos de tres los analizáis: completad una tabla como la de la actividad 1A y comentáis si os gustan o no y por qué, si son sexistas o si intentan manipular. Luego, lo presentáis al resto de los compañeros.

3. El día de las lenguas

A. En esta clase están preparando una fiesta para celebrar el "Día de las lenguas". Mira el dibujo: ¿Qué cosas van a hacer?

Yo creo que van a escuchar música porque hay un chico con un equipo de música...

B. Escucha y lee las conversaciones de estos chicos. ¿Quién pregunta en cada caso?

Pista 32

1
○ ¿Cómo ponemos las sillas?
■ Bueno, las sillas pon**las** alrededor de la clase, y esta mesa apárta**la**, así queda un espacio en el medio para dar los premios... Sí, pon**las** más a la derecha, así...

2
□ ¿Cómo colgamos estas banderitas?
■ Sujéta**las** con esto. Toma, sube a esta silla.

3
✱ ¿Y la música? ¿Dónde colocamos el equipo?
■ Aquí, déja**lo** en esta esquina de la mesa. Y los altavoces pon**los** al lado, encima de las sillas.

4
▲ ¿Qué hago con los platos y los vasos?
■ Dá**selos** a Montse y a Julio, que son los encargados de la comida.

5
☆ Sara, ¿dónde dejo esta caja con los premios? ¡Pesa mucho!
■ Déja**la** en el suelo, en el medio de la clase.

6
◆ Sara, ¿qué hago con el pastel?
■ Lléva**selo** a Mario que está en la cocina, o pon**lo** tú misma en la nevera.
◆ ¡Vale!

C. Observa los pronombres marcados. ¿A qué sustantivos se refieren? ¿Cómo se escriben con respecto al verbo en imperativo? Escríbelo como en este ejemplo.

Ponlas – las sillas
Dáselos – a Montse y a Julio, los platos

SITUAR EN EL ESPACIO

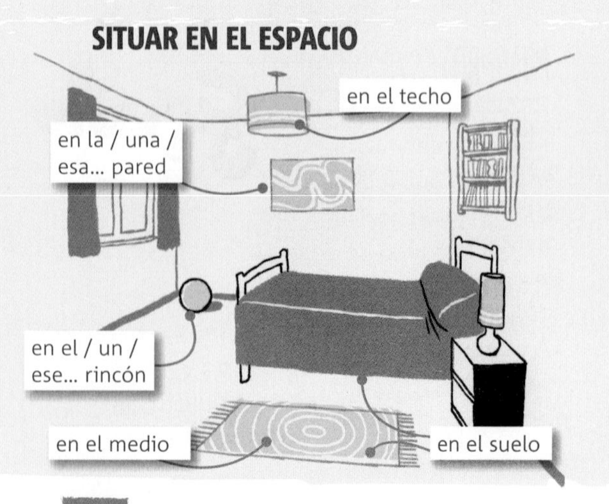

PONER
(= COLOCAR)
Ve a buscar la lámpara y ***ponla*** *en ese rincón.*

PONERSE
(= CAMBIAR DE ESTADO DE ÁNIMO)
Susana ***se ha puesto*** *triste.*

(= PONERSE ROPA)
Ponte *el jersey, que hace frío.*

DEJAR
(= PONER)
Ve a buscar la lámpara y ***déjala*** *en ese rincón.*

(= PRESTAR)
¿Me ***dejas*** *un boli, por favor?*

4. Un texto muy repetitivo CE: 9 (p. 34)

A los chicos que han redactado este cartel se les han olvidado los pronombres. ¿Puedes ayudarlos? Copia en tu cuaderno el texto, tacha las expresiones que se repiten y escribe los pronombres personales en el lugar adecuado.

EL DÍA DE LAS LENGUAS. ORGANIZACIÓN.

Mañana es el Día de las lenguas y en nuestra clase vamos a celebrar el Día de las lenguas. Haremos una fiesta. Estas son las instrucciones para organizar la fiesta:

- Rosa y Marcos sois los encargados de las mesas: retirad las mesas del aula 34B para dejar un espacio en el medio.
- Pilar y Lucía sois las encargadas de las banderitas. Colgad las banderitas por la clase, al menos una hora antes.
- Montse y Julio sois los encargados de los platos y de los vasos. Colocad los platos y los vasos sobre las mesas de la clase.
- David y Charly sois los responsables del equipo de música. Poned el equipo de música encima de la mesa del profesor y comprobad si funciona.
- César y Miriam sois los encargados de los premios. Envolved los premios y guardad los premios en una caja para poder repartir los premios en su momento.
- Mónica y Mario sois los encargados del pastel. Guardad el pastel en la nevera. Sacaremos el pastel después de la entrega de premios.

5. Así suena

Pistas 33-35

Vas a escuchar a tres personas. Fíjate en su entonación. ¿Cómo hablan, de forma autoritaria (AUT) o amablemente (AM)? Completa.

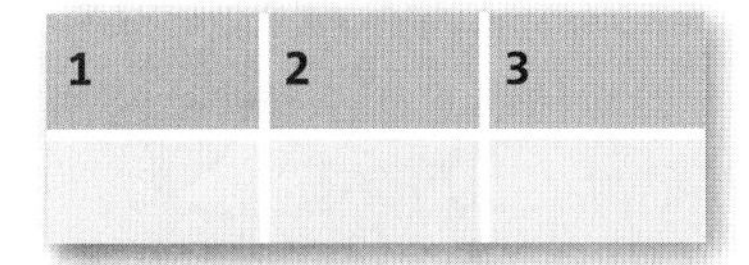

1	2	3

¿SABES QUE...?

En español, con el **imperativo** podemos ser amables o bien autoritarios: todo depende de la **entonación**.

IMPERATIVO AFIRMATIVO CON PRONOMBRES

LO / LA / LOS / LAS (COMPLEMENTO DIRECTO)
*¡Cómpra**lo**! / ¡Úsa**la**! / ¡Lée**los**! / ¡Búsca**las**!*

LE / LES (COMPLEMENTO INDIRECTO)
*Da**le** esto (a Paco). / Cómpra**les** un helado (a las niñas).*

LE / LES + LO / LA / LOS / LAS
= SE LO / SE LA / SE LOS / SE LAS (CI + CD)
*Dá**selo** (a Juan). / Dá**selas** (a María y a Fernando).*

TE / SE / OS / SE (REFLEXIVOS)
*Láva**te** las manos. / Siénte**se**, por favor.*

MINIPROYECTO

En parejas, uno será el robot y el otro su controlador. Los "robots" llevarán un objeto distinto en cada mano. Los "controladores" deberán dirigir los movimientos de su "robot" dándole órdenes para dejar los objetos en algún sitio determinado y moverse por el aula tratando de no chocar con los demás robots.

Coge este libro. Camina hacia adelante. ¡Párate! Déjalo encima de la silla. Ahora sigue recto...

6. Hay que hablar español CE: 7 (p. 33), 8 (p. 34), 4 (p. 39)

A. Mira este dibujo y contesta: ¿Qué cosas crees que...

- ... se deben hacer en este instituto?
- ... se pueden hacer en este instituto?
- ... no se pueden hacer en este instituto?

B. Busca tres chicos y tres chicas que hacen cosas que, en tu opinión, no se pueden hacer. ¿Qué crees que les diría un profesor?

1. La chica que tira un papel al suelo:
- Por favor, recoge ese papel.

Pistas 36-39

C. Escucha a un profesor hablando con cuatro chicos de este instituto. ¿Con quiénes habla? ¿Qué les dice?

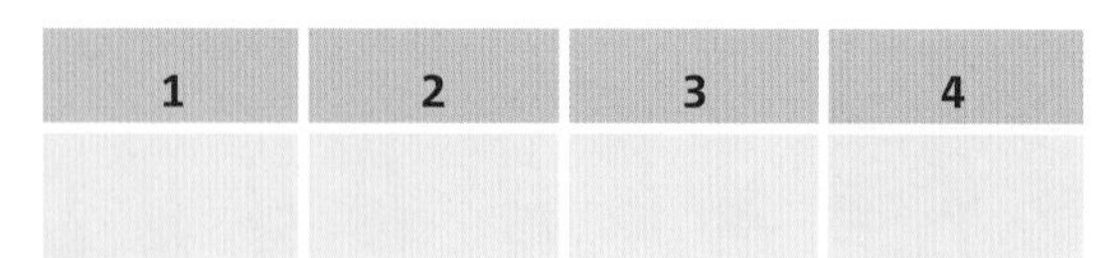

1	2	3	4

D. ¿Cuáles son las normas de vuestro instituto? Con un compañero, escribid tres normas que tienen en común el instituto del dibujo y el vuestro.

- No hay que tirar papeles al suelo.
- Está prohibido comer en clase.

EXPRESAR OBLIGACIÓN

***Hay que** recoger el material de deporte y guardarlo en su sitio.*

***Debemos** cuidar los espacios de la escuela y mantenerlos limpios y ordenados.*

***Tenemos que** llegar puntuales.*

***Es obligatorio** ir a la clase de Educación Física en chándal y zapatillas de deporte.*

EXPRESAR PROHIBICIÓN

***No hay que** andar en bicicleta, ni en patines ni en monopatín en el patio.*

***No se puede** salir del instituto durante las horas de recreo.*

***No nos dejan** escuchar música en clase.*

***Está prohibido** usar el móvil durante los exámenes.*

EXPRESAR PERMISO

***Se puede** tocar música durante el recreo.*

***Nos dejan** usar el móvil en algunas clases, por ejemplo, en la de Mates.*

***Está permitido** escuchar música en la biblioteca.*

7. Normas para hacer exámenes CE: 11 (p. 35), 1 (p. 38)

A. ¿Qué normas hay en tu instituto para hacer exámenes? Comentadlo en clase.

Nosotros no podemos llevar el móvil a los exámenes.

B. Lee las normas de este instituto. ¿Se parecen a las del tuyo?

INSTITUTO **JORGE MANRIQUE**

Normas para los exámenes

1. Generalmente, los exámenes deben convocarse con un día de antelación.
2. De manera excepcional, los profesores pueden convocar diez exámenes sorpresa en cualquier momento del año.
3. Los exámenes pueden tener una duración de hasta tres horas.
4. Los teléfonos móviles (incluso apagados) están completamente prohibidos.
5. Durante el examen los alumnos no pueden salir del aula por ningún motivo.
6. Los alumnos no pueden comer ni beber.
7. En la mesa de los alumnos no puede haber ningún objeto, excepto las hojas del examen y el lápiz o el bolígrafo para escribir.
8. En los exámenes de Matemáticas, de Física y de Química, las calculadoras están prohibidas.
9. Los alumnos no pueden hablar entre ellos.
10. Los alumnos no pueden hacer preguntas al profesor.
11. Los alumnos tienen derecho a una revisión del examen en los dos días siguientes a la entrega de la nota.
12. Si no están de acuerdo con el resultado de esta revisión, los alumnos pueden presentar un escrito de reclamación a la dirección del centro.

C. ¿Te parecen justas o injustas las normas de este instituto? ¿Por qué?

A mí el punto 6 me parece injusto, porque durante un examen es muy importante poder comer, es bueno para la salud.

HACER VALORACIONES

*¿**Qué te parece** no poder salir del aula durante un examen?*

A mí me parece...	bien / mal justo / injusto normal / extraño ...	+ infinitivo
Yo creo que...	está bien / mal es justo / injusto es normal / extraño ...	+ infinitivo

***Me parece mal** no poder preguntar al profesor.*

MINIPROYECTO

Tu vida está llena de órdenes e instrucciones. ¿Cuáles son las que escuchas más a menudo? Haz una lista y después compárala con la de tus compañeros. ¿Cuál es la frase más repetida?

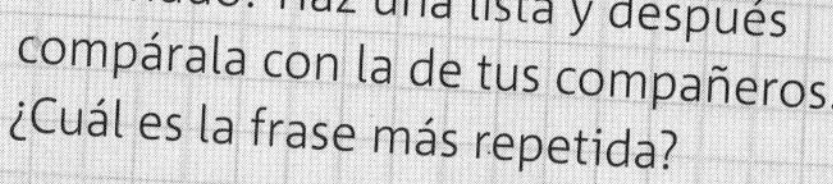

NO SE PUEDE PASAR POR AQUÍ

1. ¿Qué se puede y qué no se puede hacer? ¿Qué hay que hacer y qué está prohibido? Mira el dibujo y escribe normas con las expresiones de las cajitas.

1. Aquí se puede aparcar. / 2. Se tiene que entrar al parking por aquí. / 3. ...

EL IMPERATIVO AFIRMATIVO CE: 2 (p. 30), 4 (p. 31)

REGULARES

	BAILAR	BEBER	VIVIR
(tú)	bail**a**	beb**e**	viv**e**
(usted)	bail**e**	beb**a**	viv**a**
(vosotros/as)	bail**ad**	beb**ed**	viv**id**
(ustedes)	bail**en**	beb**an**	viv**an**

ALGUNAS FORMAS IRREGULARES

	VENIR	HACER	PONER
(tú)	**ven**	**haz**	**pon**
(usted)	**venga**	**haga**	**ponga**
(vosotros/as)	venid	haced	poned
(ustedes)	**vengan**	**hagan**	**pongan**

El imperativo se usa:

- para formular recomendaciones: *¡**Cómpralo**, no te arrepentirás!*
- para dar instrucciones: ***Gira** a la izquierda y luego **sigue** recto...*
- para dar órdenes: ***Recoge** tus libros y **sal** de la clase.*
- para formular peticiones (en relaciones de confianza): ***Tráeme** un vaso de agua, por favor.*
- en fórmulas de cortesía (**oye / oiga, perdona/-e, disculpa/-e, mira/-e, pasa/-e, toma/-e**...): ***Perdone**, ¿puede decirme qué hora es?*

1. Pon el título adecuado a cada lista de consejos. Luego, completa las frases con imperativos en la persona correspondiente.

- *¿**Tú y tus amigos estáis** pensando en hacer una fiesta?*
- *¿**Quieres** ser un superestudiante?*
- *¿**Desea usted** ser una estrella de la publicidad?*

▸ ....

a. (Prestar) ...... atención en clase y (escuchar) ...... a tu profesor.
b. (Aprender) ...... de tus errores y equivocaciones en lugar de lamentarte.
c. Si no entiendes algo, (preguntar) ...... a tu profesor.

▸ ....

a. (Recordar) ...... quién es el cliente.
b. (Utilizar) ...... un lenguaje sencillo y próximo al consumidor.
c. (Inventar) ...... un buen eslogan y (diseñar) ...... un logo efectivo y atractivo.

▸ ....

a. (Planificar) ...... la fiesta con suficiente tiempo.
b. (Elegir) ...... bien el lugar donde celebraréis la fiesta.
c. (Preparar) ...... las invitaciones y (enviarlas) ...... con antelación.
d. (Hacer) ...... un presupuesto de lo que os podéis gastar en la comida, bebida, decoración, etc.

LA POSICIÓN DE LOS PRONOMBRES ÁTONOS

CE: 5 (p. 32), 10 (p. 35)

CON IMPERATIVO AFIRMATIVO

Con el imperativo, los pronombres van detrás del verbo y se escriben unidos a él.

*Dúcha**te** en el baño de abajo, si quieres.* → PRONOMBRE REFLEXIVO

*¿La maleta? Déja**la** ahí, en ese rincón.* → COMPLEMENTO DIRECTO

*Di**le** a Maite que tenemos el examen de Lengua mañana.* → COMPLEMENTO INDIRECTO

- ● *¿Y estos apuntes?*
- ○ *Devuélve**selos** a Adriana, por favor.* → CI + CD

 le + lo / la / los / las = **se lo** / **se la** / **se los** / **se las**

CON PERÍFRASIS

Con las perífrasis verbales, los pronombres pueden estar delante o detrás, pero nunca entre los dos verbos.

- ● *¿Has hecho ya los deberes?*
- ○ *No, tengo que hacer**los** esta tarde.*
- ○ *No, **los** tengo que hacer esta tarde.*
- ○ ~~*No, tengo que **los** hacer esta tarde.*~~

*Si tienes un problema, debes decír**selo** a tus padres.*
*Si tienes un problema, **se lo** debes decir a tus padres.*
~~*Si tienes un problema, debes **se lo** decir a tus padres.*~~

2. **Escribe el pronombre adecuado en el lugar correspondiente.**

a. ● Oye, ¿dónde pongo estos vasos?
○ ...... Pon...... aquí, encima de la mesa.

b. ● ¿Y las maletas? ¿Dónde las dejamos?
○ ...... podéis ...... dejar ahí, en el rincón.

c. ● ¿Qué vais a hacer con la comida que sobra?
○ Vamos a ...... meter...... en la nevera.

d. ● ¿Puedes traerme sillas para la fiesta?
○ Sí claro, te ...... llevo...... mañana en el coche.

3. **Vuelve a escribir la frase y sustituye la expresión subrayada por el pronombre adecuado.**

a. ● ¿Has llamado ya a Juan?
○ Todavía no, tengo que llamar <u>a Juan</u> esta noche.

b. ● ¿Quieres la mochila que me dejaste?
○ Sí, llévame <u>la mochila</u> mañana a la escuela por favor.

c. ● ¿Qué hacemos con las invitaciones para la fiesta?
○ Dale <u>las invitaciones</u> a María y ella las repartirá.

EXPRESAR OBLIGACIÓN, PROHIBICIÓN Y PERMISO

CE: 1 (p. 40)

IMPERSONAL

No hay que *ser demasiado estricto con las normas.*
Se tienen que *recoger las mesas después de comer.*
No se debe *hablar con la boca llena.*
Se puede *salir una vez durante el examen.*

*Si vas en bicicleta **es obligatorio** llevar casco y **está prohibido** circular por la acera, pero **está permitido** hacerlo por el carril de los coches.*

No se puede *llegar tarde.* → INFINITIVO
No se puede *aparcar la bicicleta aquí.* → SUSTANTIVO SINGULAR
No se pueden *aparcar bicicletas aquí.* → SUSTANTIVO PLURAL

PERSONAL

*En casa **no nos dejan** cenar delante del televisor.*
Tengo que *irme a casa, es tarde.*
*Lo que **debes hacer** para cuidar tu salud es hacer deporte y comer bien.*
*¿**Podemos** quedarnos a charlar en clase durante la hora del recreo?*

4. **Escribe diez cosas obligatorias, permitidas y/o prohibidas en un parque público.**

EN UN PARQUE PÚBLICO...
a. Se puede ....
b. No se debe ....
c. Se tiene/n que ....
d. Hay que ....
e. ....
f. ....
g. ....
h. ....
i. ....
j. ....

5. **Escribe cinco cosas obligatorias o permitidas y cinco prohibidas en tu casa.**

EN MI CASA... 👍	EN MI CASA... 👎
a. Tengo que	f. ....
b. Debo	g. ....
c. Mis padres me dejan	h. ....
d.	i. ....
e.	j. ....

LA REVISTA

CAMPAÑAS SOLIDARIAS

CE: 3 (p. 39)

La publicidad tiene una gran influencia sobre el público, por esta razón muchas organizaciones humanitarias y sin ánimo de lucro lanzan campañas de gran impacto, con buenas fotos y buenos eslóganes, para sensibilizar a la población sobre sus objetivos.

Veamos algunos ejemplos:

Campaña de la **Cruz Roja Colombiana** para impulsar la donación de sangre.

Campaña de **Médicos Sin Fronteras** para aumentar los apoyos y suscripciones.

Con esta campaña, **Intermón-Oxfam** quiere fomentar la agricultura sostenible y una mejor distribución de los alimentos en el mundo.

Campaña de **Greenpeace** para detener los efectos del cambio climático en el océano Ártico, que en los últimos 30 años ha perdido tres cuartas partes de su hielo.

CANCIÓN

La Muralla

Pista 40

Para hacer esta muralla,
tráiganme todas las manos:
los negros, sus manos negras,
los blancos, sus manos blancas.
Una muralla que vaya
desde la playa hasta el monte,
desde el monte hasta la playa,
allá sobre el horizonte.
—¡Tun, tun!
—¿Quién es?
—Una rosa y un clavel...
—¡Abre la muralla!

—¡Tun, tun!
—¿Quién es?
—El sable del coronel...
—¡Cierra la muralla!
—¡Tun, tun!
—¿Quién es?
—La paloma y el laurel...
—¡Abre la muralla!

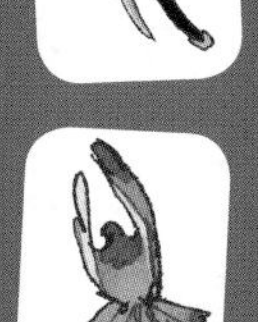

—¡Tun, tun!
—¿Quién es?
—El alacrán y el ciempiés...
—¡Cierra la muralla!
Al corazón del amigo,
abre la muralla;
al veneno y al puñal,
cierra la muralla;

al mirto y la yerbabuena,
abre la muralla;
al diente de la serpiente,
cierra la muralla... [...]

Fragmento de la canción "*La muralla*", de Ana Belén y Víctor Manuel en *Mucho más que dos* (1994)

Nicolás Guillén (Camagüey, 1902 - La Habana, 1989) fue un escritor cubano que reivindicó el valor del mestizaje en los países caribeños. Su poema *La muralla* fue cantado por los músicos españoles **Ana Belén** y **Víctor Manuel**.

VÍDEO

Exige dignidad

Campaña de Amnistía Internacional sobre las consecuencias de la pobreza.

PUBLICIDAD HASTA EN LA SOPA

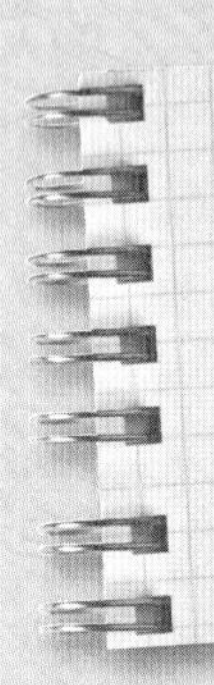

UN ANUNCIO PUBLICITARIO

VAMOS A CREAR UN ANUNCIO DE TELEVISIÓN Y VAMOS A GRABARLO.

¿QUÉ NECESITAMOS?

En audio o vídeo:
- ✔ música grabada para la sintonía
- ✔ objetos para ambientar y para disfrazarse
- ✔ material para hacer carteles: cartulinas, etc.
- ✔ una cámara o grabadora y un proyector

Para representar en clase:

- ✔ lo mismo, excepto la cámara, la grabadora y el proyector

A. Formad grupos y decidid:

- Qué tipo de producto queréis anunciar o promocionar: una prenda de ropa, un alimento, un valor social...
- A quién lo queréis vender y cómo tiene que ser el estilo del anuncio: cómico, poético, impactante...
- Debéis inventar una marca y redactar un texto con un eslogan.
- Elegid la música adecuada.

REGLAS

- El anuncio debe durar entre 20 y 40 segundos.
- Debéis usar obligatoriamente el imperativo afirmativo.

B. Nombrad un director o directora y repartid los papeles. Ensayad el anuncio tantas veces como sea necesario y grabadlo en vídeo o representadlo.

APRENDER A APRENDER
En un vídeo es muy importante la relación entre la imagen y el texto: procurad que las imágenes tengan relación con lo que se dice en todo momento.

C. Toda la clase ve los anuncios. Entre todos debéis elegir:

- El anuncio más gracioso.
- El anuncio mejor realizado.
- El eslogan más impactante.

LAS NORMAS DE LA CLASE

VAMOS A REDACTAR LAS NORMAS IDEALES PARA NUESTRA CLASE.

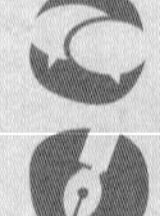

A. En grupos de tres, redactad 10 normas de convivencia para nuestra clase. Tenéis que redactar las frases con expresiones como:

Se puede / Está permitido / Se debe / Hay que / Se tiene que / Es obligatorio / Está prohibido...

B. Juntad varios grupos y agrupad las frases, eliminando las repetidas.

C. Escribid en la pizarra las frases que quedan de cada grupo. Eliminad las repetidas y votad cada una de las normas que quedan. Las 10 más votadas serán las normas de la clase.

D. Escribidlas en un gran cartel y colgadlo para poder recordarlas a menudo.

COMPRENSIÓN LECTORA

1. Lee lo que les dice el fotógrafo a los chicos. ¿Cuál de las dos imágenes sucede antes y cuál después? ¿Cómo se llaman los chicos?

¡Miguel Ángel, ponte detrás, y tú, Victoria, ven delante... Vale... ¡Eh!, Javi, quítate las gafas, sí, quítatelas. Poneos más a la derecha... Sí, así, vale... Y tú, Mercedes, ponte bien el gorro, sí, sí. Daniel, pónselo bien, que le tapa la cara... Bueno, quietos. ¿Qué? Sí, Luis, ¡siéntate en el suelo! ¡No! Lorena, la bufanda no; quítatela, por favor. Iván y Daniel, vosotros estáis perfectos así... Ahora, ahora... Sonreíd, decid: ¡PA-TA-TA!

COMPRENSIÓN ORAL

Pistas 41-47

2. Relaciona las indicaciones que vas a escuchar con cada una de estas señales.

EXPRESIÓN ESCRITA

3. Haz una lista de tres cosas que hay que hacer, tres cosas que se pueden hacer y tres cosas que no se pueden hacer cuando vas en bici.

EXPRESIÓN ORAL

4. Dales a tus compañeros cinco normas para mejorar sus resultados en clase de español y convéncelos para aplicarlas.

INTERACCIÓN ORAL

5. Con un compañero, discutid si estáis de acuerdo o no con las siguientes normas de un parque público.

unidad 4

¿QUÉ SERÁ, SERÁ?

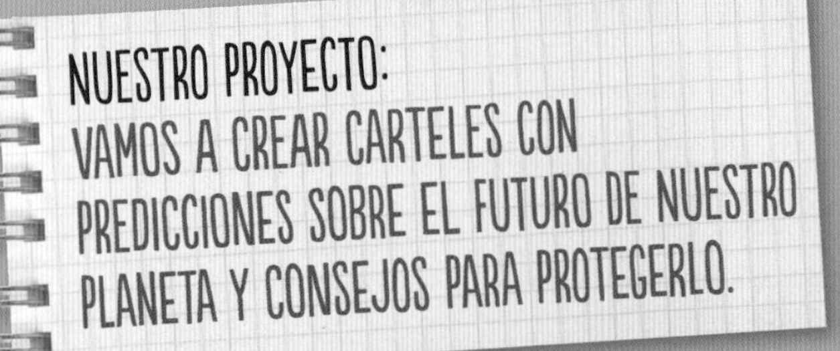

VAMOS A...

- leer varios artículos sobre el futuro (el medio ambiente, ciencia y tecnología...);
- escuchar a varios jóvenes que hablan sobre su futuro, recomendaciones para combatir problemas medioambientales y un programa de radio sobre tecnología;
- escribir sobre el futuro personal, explicar problemas medioambientales y hacer predicciones sobre el futuro del planeta;
- imaginar un invento y explicarlo a la clase, hablar sobre el mundo en el futuro;
- hablar sobre el futuro personal y global y sobre acciones para combatir problemas medioambientales;
- ver un documental sobre el lince ibérico.

VAMOS A APRENDER...

- el futuro imperfecto;
- frases condicionales: **si** (**no**) presente + presente / futuro;
- **seguir** + gerundio;
- perífrasis de infinitivo y gerundio;
- los grados de seguridad: **a lo mejor...**, **seguro que...**;
- nombres derivados de verbos: **el consumo**, **el reciclaje**...;
- marcadores temporales: **ya**, **hasta ahora**, **dentro de**...;
- a hablar de cantidades: **más** / **menos que**...;
- léxico para hablar de la vida profesional, de ciencia y tecnología y del medio ambiente y los animales.

¿Desaparecerán los libros de papel

¿Las casas serán totalmente sostenibles?

¿Los robots harán todas las tareas domésticas?

¿Cómo será nuestro futuro?

1. ¿Crees que estas cosas pasarán algún día?

Yo que creo que sí habrá ciudades en otros planetas...

2. ¿Alguna de estas cosas ya está pasando ahora?

Ahora ya hay...

1. ¿Mi futuro? Depende... CE: 6 (p. 45), 1 (p. 50)

A. Con un compañero, comentad cómo os veis en el futuro.

¿Qué profesiones os gustaría tener?

¿Dónde os gustaría vivir?

¿Os gustaría casaros?

¿OS GUSTARÍA TENER HIJOS?

¿OS GUSTARÍA VIAJAR?

B. Lee este reportaje sobre cómo algunos adolescentes se ven en el futuro. ¿Quién es el más seguro de los tres? ¿Por qué?

¿CÓMO OS VEIS EN EL FUTURO?

¿Cómo se imaginan los adolescentes sus vidas a los 30 años? Hemos ido a un instituto de secundaria y, a la salida de clase, hemos preguntado a tres alumnos. Estas son algunas de sus respuestas.

¡Uy! ¿Mi futuro? ¿A los 30 años? Pues... seguramente seré periodista y viajaré mucho por el mundo. Supongo que viviré en muchos países distintos. Y en cada país, me gustaría vivir en una gran ciudad. ¡Me gustan las ciudades! No sé si me casaré o no me casaré, eso depende de si encuentro a la persona ideal.

Yo, en el futuro, seré médico como mi padre y mi madre. Me gusta esta profesión. Pero yo seré médico de deportistas. Y seguro que viviré un tiempo en Australia porque me gusta mucho el submarinismo y allí es el sitio perfecto para practicarlo. ¿Me casaré? Pues claro que sí. Pero... ¡aún no tengo novia!

¿Cómo me veo en el futuro? Pues... no tengo ni idea. ¡Me encantan los niños! A lo mejor tendré muchos hijos a lo mejor no, depende. ¿Dónde viviré? Me gusta mi pueblo, pero también me gustaría vivir en una ciudad... todavía no lo sé. Sobre todo, para mí el futuro es el final de este curso. Luego, ya veré.

Para los adolescentes, el futuro es mañana, es este fin de semana, o quizá el mes de junio. Sobre su vida adulta, algunos tienen las cosas muy claras, pero para la mayoría... ¡qué lejos está!

LA VIDA PROFESIONAL

Trabajar en...
- una escuela / un hospital / una empresa (de...) (LUGAR)
- la educación / la sanidad (ÁMBITO)
- algo relacionado con... los animales / la naturaleza / los coches / la tecnología

Ser... veterinario/-a / profesor/a / ingeniero/-a / informático/-a / médico/-a (PROFESIÓN)

EL FUTURO IMPERFECTO

	TRABAJAR	SER	VIVIR
yo	trabajar**é**	ser**é**	vivir**é**
tú	trabajar**ás**	ser**ás**	vivir**ás**
él / ella	trabajar**á**	ser**á**	vivir**á**

*Yo no tengo ni idea de cómo **será** mi vida: solo sé que **intentaré** ser feliz.*

C. Marca las expresiones que te han ayudado a saber quién es el más seguro y quién es el menos seguro.

D. Con un compañero, anota todos los verbos del texto anterior en futuro imperfecto y reflexiona: ¿cómo se forma la primera persona del singular?

¿SABES QUE...?

En España **vive mucha más gente en la ciudad que en el campo**, y alrededor del 25% de la población se concentra en las áreas metropolitanas de Madrid y de Barcelona.

2. ¿Cómo será mi vida? CE: 1 (p. 41), 5 (p. 44), 2 y 3 (p. 51)

Pistas 48-51

A. Unos amigos han hecho una sesión de tarot. Escucha lo que les han dicho las cartas a cada uno y completa una tabla como esta.

Nombre	1. Sergio	2. Adriana	3. Judith	4. Martín
Profesión				
Dónde vivirá				
Tipo de vida (familia, viajes...)				

Pistas 48-51

B. Escucha otra vez a los chicos. ¿Qué opinan de las predicciones? ¿Les gustan? ¿Se las creen?

Sergio dice que...

GRADOS DE SEGURIDAD

- *¿Tú te casarás?*
- ***Supongo que** sí.*

***(Seguro que)** me casaré.*
***Seguramente** me casaré.*
***A lo mejor** me casaré.*
***No sé si** me casaré **o no** (**depende de**...)*
***No tengo ni idea de si** me casaré.*

MARCADORES TEMPORALES DE FUTURO

***Cuando sea mayor** viajaré mucho.*
***De mayor** viajaré mucho.*
*No sé dónde estaré **dentro de** 15 **años**.*
*No sé dónde estaré **a los 30 años**.*

MINIPROYECTO

¿Y tú? ¿Qué serás en el futuro? ¿Dónde crees que vivirás? ¿Qué trabajo tendrás? ¿Te casarás? Escribe un pequeño texto. Después en grupos, leed vuestros textos y encontrad qué cosas tienen en común.

3. Si me protegéis, viviremos mejor CE: 1 (p. 52)

A. Ordena las frases para que el mensaje que envía la Tierra tenga coherencia.

B. En parejas, tomad como modelo el texto anterior y escribid tres nuevas frases que empiecen así: **Si** + presente de indicativo...

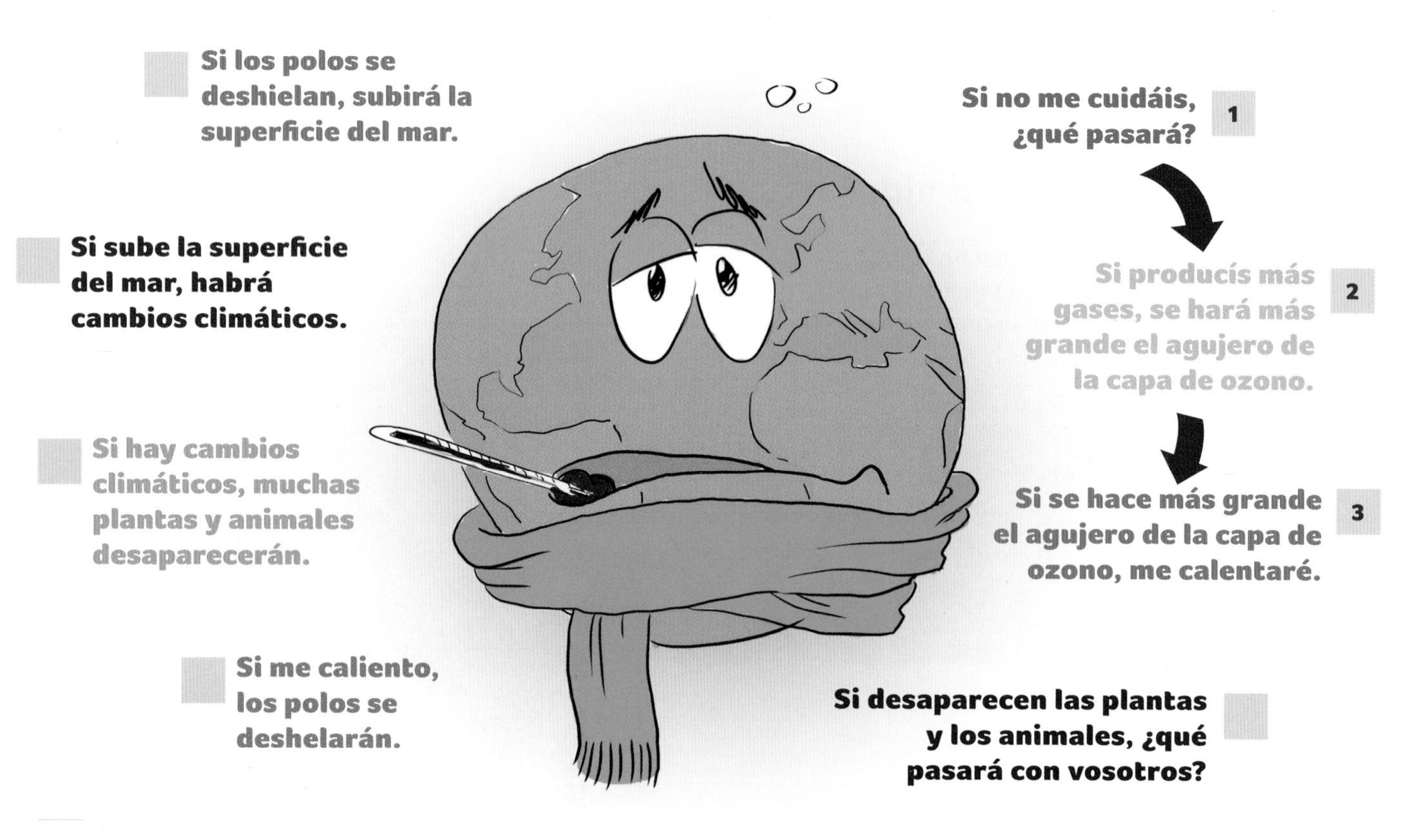

4. Reducir, reutilizar, reciclar

A. Lee los textos de la página siguiente. ¿Qué otros problemas medioambientales conoces?

- El aumento de...
- El consumo de...

B. ¿Qué palabras de los textos son parecidas en tu idioma? Márcalas y piensa qué significan.

APRENDER A APRENDER
El **lenguaje científico**, de origen latín o griego, es parecido en muchos idiomas. Fíjate en las palabras que reconoces.

HABLAR DEL MEDIO AMBIENTE

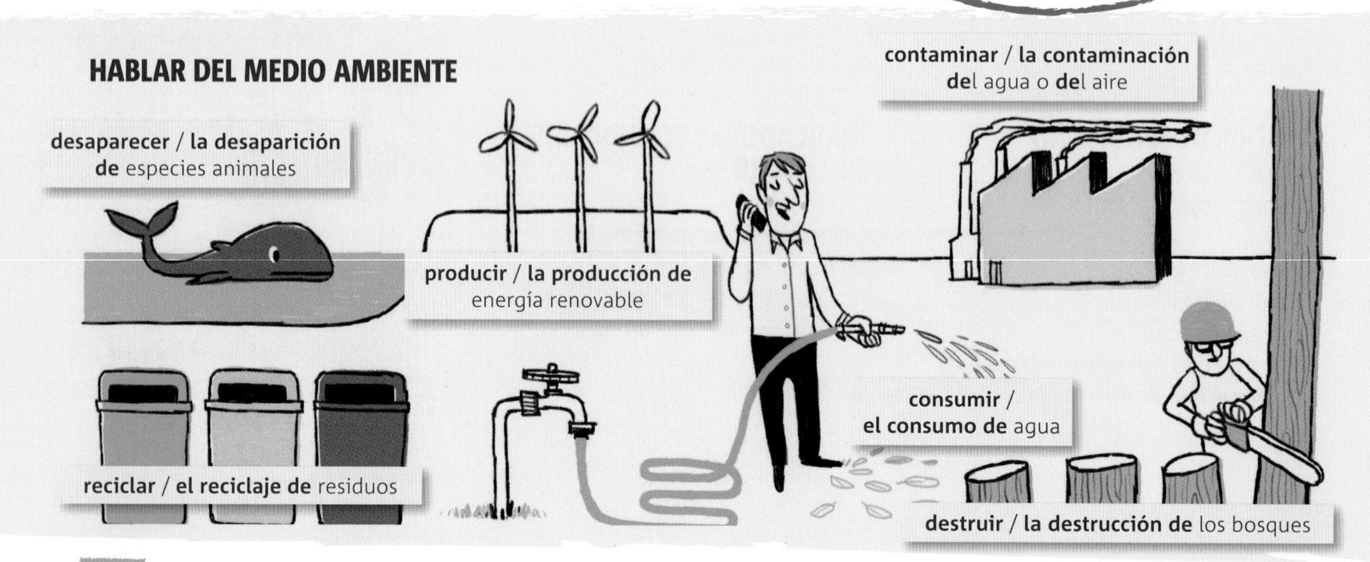

PROBLEMA 1. LOS RESIDUOS NO BIODEGRADABLES

DATOS:

150 años 1000 años

Cada año se producen 230 millones de toneladas de plástico en el mundo. Una bolsa de plástico tarda 150 años en degradarse y una botella de plástico (las de agua o de refrescos) puede tardar entre 100 y 1000 años.

CONSECUENCIAS:
Actualmente, la contaminación por objetos de plástico es un problema enorme en los océanos de todo el mundo ya que mata a más de 100 000 tortugas y otros mamíferos marinos cada año. Si seguimos tirando bolsas o recipientes de plástico al mar, pronto muchas especies de animales marinos desaparecerán.

Datos: Eurostat / Secretaría de Medio Ambiente y Recursos Naturales (México) / Californians Against Waste

PROBLEMA 2. LAS INDUSTRIAS CONTAMINANTES

DATOS:

1 tonelada de papel virgen necesita:

17 árboles
100 m^3 de agua
7600 kw/h de energía

1 tonelada de papel reciclado necesita:

0 árboles
20 m^3 de agua
2850 kw/h de energía

CONSECUENCIAS:
La fabricación de papel puede perjudicar mucho el medio ambiente, ya que se necesitan grandes cantidades de madera, de agua y de productos químicos para blanquearlo. Si seguimos fabricando papel a partir de madera en lugar de reciclarlo, la superficie de bosques en el planeta disminuirá.

Datos: FileGroup (2013) http://www.file.com.ec

PROBLEMA 3. LOS GASES CONTAMINANTES

DATOS:

País rico: **400**

País pobre: **2**

Una persona en un país rico produce 200 veces más de CO^2 que una persona en un país pobre.

CONSECUENCIAS:
Hasta ahora, las industrias y los vehículos a motor han sido las principales fuentes de contaminación del aire y, por ello, del calentamiento global. Si seguimos emitiendo gases tóxicos a la atmósfera, dentro de poco tiempo se producirá un cambio climático que provocará desastres naturales y hará desaparecer muchísimas especies animales y vegetales.

Datos: Earth Policy Institute / Instituto Latinoamericano de Comunicación Educativa

Pistas 52-57

C. Escucha las siguientes recomendaciones para combatir los problemas medioambientales de esta página. ¿A qué problema corresponde cada una?

	a	b	c	d	e	f
Problema 1						
Problema 2						
Problema 3						

D. Discutid en la clase: ¿Cuáles de las acciones anteriores...

- ya se hacen?
- todavía no se hacen?
- quizá se harán dentro de un tiempo?

HABLAR DE CANTIDADES

*Antes contaminábamos **menos** (**que** ahora).*

*Antes había **menos** contaminación (**que** ahora).*

*La cantidad de residuos **ha aumentado** mucho.*

***Ha disminuido** la contaminación del aire en algunas ciudades.*

SEGUIR + GERUNDIO

*Antes comprábamos muchísimos envases de plástico. Ahora **seguimos comprando**, pero reciclamos más.*

MARCADORES TEMPORALES

todavía no
hasta ahora

ahora (ya), actualmente (ya)

dentro de unos años
poco tiempo
...

pronto

MINIPROYECTO

Con un compañero, escoged un problema medioambiental. Tenéis que escribir un texto con:

- algunos datos
- sus consecuencias
- recomendaciones para luchar contra el problema

5. Inventos que cambiarán el mundo ▶ CE: 4 (p. 43)

A. Fíjate en los títulos y en las imágenes. ¿Cuáles de los siguientes problemas o necesidades relacionas con cada invento? Luego, lee los textos y compruébalo.

1. Construir cualquier objeto fácilmente.
2. Dar la medicación automáticamente.
3. Producir menos residuos.
4. Obtener agua potable.
5. Obtener combustible barato.
6. Identificarnos de forma segura.
7. Obtener información sobre los objetos o lugares que estamos mirando.

B. Escoge dos inventos y crea una ficha como esta para cada uno. Busca en el diccionario las palabras que necesites.

Nombre	La realidad aumentada
¿Qué es?	Es un sistema informático.
¿Qué hace? / ¿Cómo funciona?	Reconoce los elementos del entorno y da información.
¿Para qué se puede utilizar?	Para saber dónde estamos, qué podemos hacer en ese lugar...

Pistas 58-60

C. ¿De cuáles de los inventos hablan en este programa de radio? Completad vuestras fichas con la información nueva, si la hay.

La realidad aumentada. La realidad aumentada es un sistema informático que sirve para ver imágenes o leer información digital a la vez que vemos la realidad que nos rodea. Para ello podemos usar dispositivos como un ordenador, una tableta, un smartphone, unas gafas, una cámara, etc. Las aplicaciones de este invento son muy numerosas y seguramente en el futuro estará tan presente en nuestras vidas como los teléfonos móviles.

Datos: http://www.chaval.es

La impresora 3D. Es una máquina que "imprime" en 3 dimensiones, es decir, que crea objetos con materiales diversos a partir de un diseño hecho por ordenador. Hasta ahora se ha utilizado en el campo de la arquitectura y del diseño industrial. En la actualidad se está empezando a utilizar en la fabricación de prótesis médicas ya que la impresión 3D permite adaptar las piezas a las características exactas de cada persona.

Datos: www.wikipedia.com

Chips para controlar la salud. Estos chips, implantados en el cerebro, detectan cambios en las neuronas y liberan de forma automática los medicamentos necesarios para enfermedades neurodegenerativas como el Alzheimer, la epilepsia y el Parkinson. Estos microaparatos ya se están ensayando en ratones y están dando muy buenos resultados. Pronto se empezarán a probar con los humanos.

Datos: www.dicat.csic.es/dicat

DESCRIBIR TECNOLOGÍA ▶ CE: 8 (p. 46)

¿Qué es?
Es un/a **máquina** / **aparato** / **ordenador** / **aplicación informática** / **producto** / **objeto** / **sistema** / **robot** / ...

¿Para qué sirve? ¿Para qué se puede utilizar?
Sirve / **se utiliza** / **se puede utilizar para...**
Es (muy) **útil para...**

Es una máquina ***que*** *sirve / servirá para enfriar líquidos muy rápido.*
Es una aplicación ***con la que*** *se puede / podrá ir a clase sin salir de casa.*

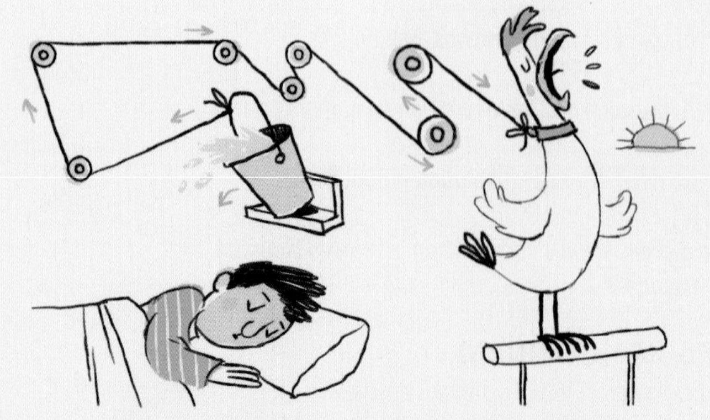

Es un aparato que sirve para *despertarte si duermes muy profundamente.*

Contraseñas biológicas. Como resultado de las últimas investigaciones en el campo de la tecnología, los expertos opinan que muy pronto nuestro cuerpo será la llave que protegerá nuestra información personal. Ya no tendremos que crear, guardar ni recordar diferentes contraseñas. Podremos ir al cajero automático a sacar dinero de forma segura con solo decir nuestro nombre y mirar a un pequeño sensor que reconocerá los rasgos únicos de la retina.

Datos: www.a24.com

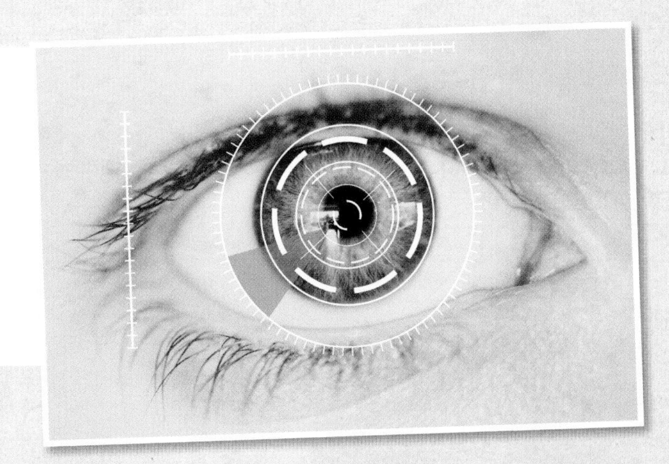

Envoltorios comestibles para alimentos. Para conservar los alimentos se utilizan toneladas y toneladas de plástico. El profesor de la Universidad de Harvard, David Edwards, ha inventado una "piel" para sustituir el plástico que envuelve los alimentos sólidos y líquidos. Este tipo de envoltorio está hecho de una sustancia que se puede comer. Una cadena de comida rápida brasileña ya ha empezado a usarlos.

Datos: http://pijamasurf.com

Microbios para producir combustible. Algunas bacterias y algunos insectos pueden transformar la materia orgánica en gas. Los investigadores ya han hecho experimentos que han tenido mucho éxito y creen que en un futuro no muy lejano se podrá aprovechar esta propiedad para producir energía y combustibles.

Datos: http://pijamasurf.com

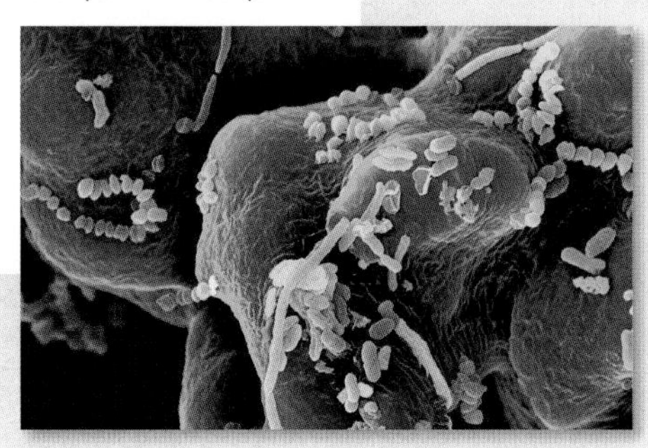

Desalinizadoras eficientes. Las plantas desalinizadoras transforman el agua de mar (salada) en agua potable (dulce). Los científicos están trabajando para mejorar su funcionamiento y reducir el consumo de energía y algunos problemas medioambientales que provocan. Pronto se verán los resultados.

Datos: www.enbuenasmanos.com

NOMBRES DERIVADOS DE VERBOS

+ O / + AJE (masculinos)

el cálculo	← calcular
el diseño	← diseñar
el consumo	← consumir
el invento	← inventar
el reciclaje	← reciclar
el aprendizaje	← aprender

+ -CIÓN / + SIÓN (femeninos)

la fabricación	← fabricar
la investigación	← investigar
la creación	← crear
la información	← informar
la curación	← curar
la alimentación	← alimentar
la impresión	← imprimir

MINIPROYECTO

En grupos de cuatro, imaginad un invento, describidlo, dadle un nombre y enumerad sus consecuencias y beneficios. Exponedlo a la clase. Entre todos, votad los tres mejores inventos.

CIUDADES INTELIGENTES

1. ¿Qué más crees que se podrá hacer en una ciudad inteligente? Observa el dibujo y escribe tres frases más.

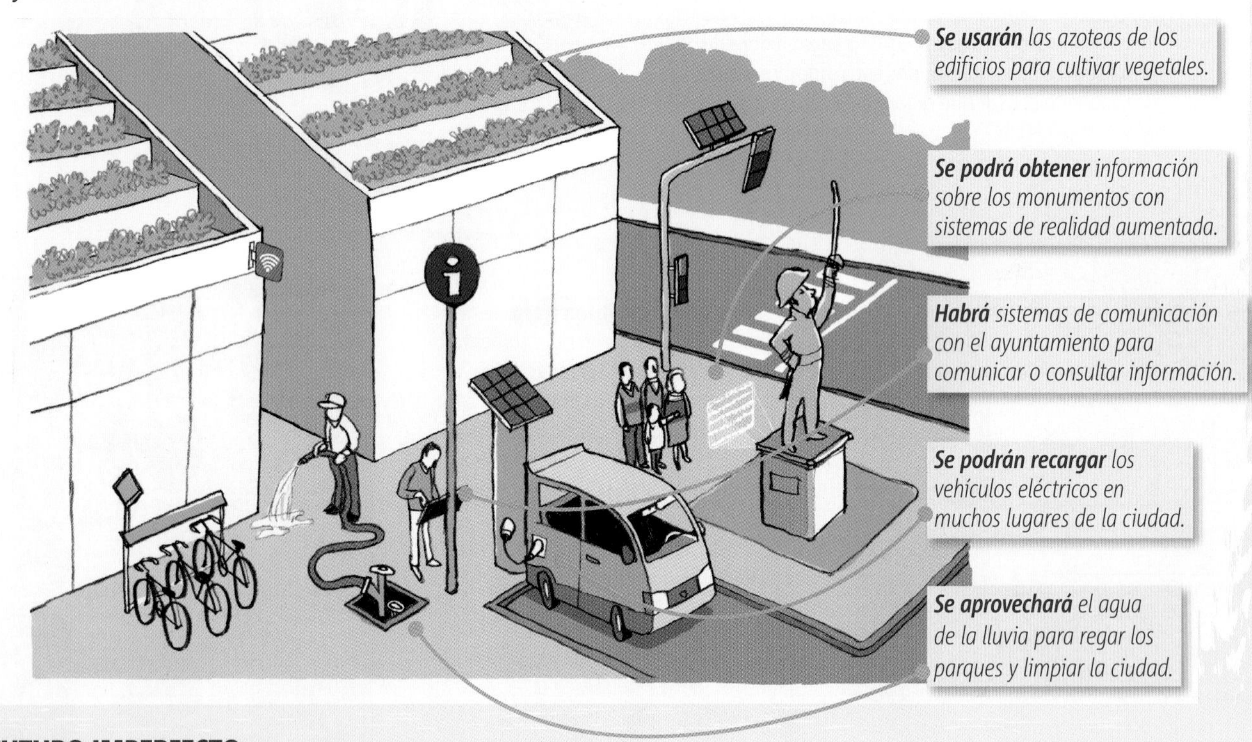

EL FUTURO IMPERFECTO CE: 2 y 3 (p. 42), 10 y 11 (p. 47)

REGULARES

	RECICLAR	PROTEGER	REDUCIR
yo	reciclar**é**	proteger**é**	reducir**é**
tú	reciclar**ás**	proteger**ás**	reducir**ás**
él / ella	reciclar**á**	proteger**á**	reducir**á**
nosotros/-as	reciclar**emos**	proteger**emos**	reducir**emos**
vosotros/-as	reciclar**éis**	proteger**éis**	reducir**éis**
ellos / ellas	reciclar**án**	proteger**án**	reducir**án**

IRREGULARES

Cambia la raíz; las terminaciones son las de los verbos regulares.

DECIR → **dir**é
PODER → **podr**é
PONER → **pondr**é
QUERER → **querr**é
SABER → **sabr**é
SALIR → **saldr**é
TENER → **tendr**é
VENIR → **vendr**é
HABER → **habr**é

Con el futuro imperfecto hacemos predicciones y promesas.

*Tranquila, mañana te **traeré** el libro, seguro.*
*Dicen que el petróleo **se terminará** dentro de pocos años.*

En español, muchas veces también utilizamos **ir a** + infinitivo o bien el presente de indicativo para hablar de hechos futuros.

*Esta tarde **voy a** cortarme el pelo.*
*La semana que viene **empiezan** las clases.*

1. Completa las frases con el verbo adecuado en futuro.

hacer | tener | decir | saber | enfadarse | poder | venir

a. ● ¿Tú crees que ...... hacer el viaje con tan poco dinero?
❍ Si ahorramos un poco más, yo creo que sí.

b. No tengo ni idea de qué ...... cuando tenga 30 años.

c. Si mi padre se entera de que he suspendido, se ...... muchísimo.

d. Si no empezáis ahora el examen, no ...... tiempo de terminarlo.

e. El profesor nos ...... los resultados mañana.

f. ● ¿Qué me vas a regalar?
❍ ¡Ah! Es un secreto. Mañana lo ....

g. ● ¿A qué hora ...... tus primas?
❍ A las ocho, creo.

HABLAR DE CONDICIONES Y HACER PREDICCIONES CON SI CE: 13 (p. 48)

SI + PRESENTE, FUTURO

***Si** no **reciclamos** el papel, **tendremos** que talar más bosques.*

SI + PERÍFRASIS DE GERUNDIO, FUTURO

***Si seguimos consumiendo** plástico, **destruiremos** el medio ambiente.*

2. Completa las frases según tu propia experiencia y opiniones.

a. Si tengo dinero el próximo verano, ...
b. Si este fin de semana hace mal tiempo, ...
c. Si no salgo muy tarde de clase esta tarde, ...
d. Si todos usamos más bicicletas y menos coches, ...
e. Si sigo estudiando en esta escuela el próximo año, ...
f. Si seguimos usando bolsas de plástico, ...

PERÍFRASIS: CAMBIO Y CONTINUIDAD CE: 12 (p. 48)

EMPEZAR A + INFINITIVO

*Voy a **empezar a estudiar** música el año que viene.*
*Tenemos que **empezar a ahorrar** energía.*
*Si **empezamos a proteger** la naturaleza, podremos salvar el planeta.*

SEGUIR + GERUNDIO

***Seguimos gastando** demasiado plástico.*
*Yo creo que **seguiremos leyendo** libros en papel.*
*Si **seguimos consumiendo** petróleo, habrá un cambio climático.*

DEJAR DE + INFINITIVO

*Yo **he dejado de comprar** fruta en envases de plástico.*
*Creo que el año que viene **dejaré de jugar** en el equipo del colegio.*

3. Completa con **empezar a**, **seguir** o **dejar de** en el tiempo verbal apropiado.

a. ...... molestar al perro o te morderá.
b. Si ...... siendo tan antipático, te vas a quedar sin amigos.
c. Silvia ...... estudiar en un colegio nuevo y está muy contenta con sus compañeros.
d. Voy a ...... hablar español para practicar.
e. Tienes que ...... esforzándote y seguro que lo conseguirás.
f. Creo que ...... tomar clases de cocina. Tengo ganas de aprender a cocinar.
g. El año que viene ...... tomando clases de chino. ¡Me encanta!

MARCADORES TEMPORALES CE: 7 (p. 45)

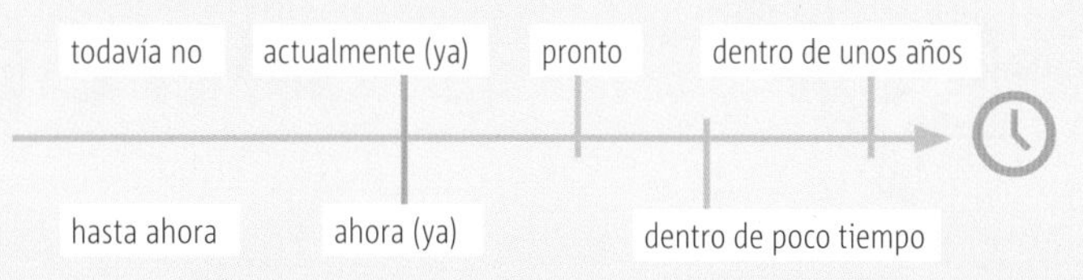

4. Escribe cuáles de estas cosas ya se hacen, todavía no se hacen o se harán en el futuro. Usa todos los marcadores temporales de este apartado.

a. Usar coches eléctricos.
Actualmente ya se usan algunos coches eléctricos.
b. Clonar seres humanos.
c. Desalinizar el agua del mar.
d. Desaparecer los libros impresos.
e. Hacer los exámenes en el ordenador.
f. Dejar de usar petróleo.
g. Vivir en otros planetas.

HABLAR DE CANTIDADES CE: 9 (p. 46)

***Ha disminuido** la cantidad de vehículos contaminantes.*
*Todavía no **hemos reducido** la cantidad de residuos en casa.*
*En los últimos 50 años **ha aumentado** mucho la población mundial.*
***Están desapareciendo** muchas especies animales y vegetales.*

MÁS QUE / MENOS QUE

verbo + **más** (**que**) / **menos** (**que**)
*En el futuro tendremos que reciclar **más** (**que** ahora).*
*En el futuro gastaremos **menos** (**que** ahora).*

nombre + **más** (**que**) / **menos** (**que**)
*Tendremos **más** coches eléctricos (**que** ahora).*
*Habrá **menos** especies de animales (**que** ahora).*

5. Compara lo que pasa en el presente con lo que pasará en el futuro con estos temas. Usa: **más que / menos que...**, **disminuir** y **aumentar**.

a. el agua potable
En el futuro habrá menos agua potable que ahora.
b. la contaminación
c. la energía nuclear
d. las energías renovables
e. el petróleo
f. las enfermedades
g. los bosques y las selvas

Yasuní: ¿biodiversidad o petróleo?

El **Parque Nacional Yasuní** es un parque selvático del Ecuador. En 1989 la UNESCO lo declaró reserva de la biosfera por su inmensa riqueza en especies vegetales y animales. Yasuní es una de las zonas de la Tierra más biodiversas, los estudios hablan de 150 especies de anfibios, 121 de reptiles, 598 especies de aves, más de 160 especies de mamíferos y en flora ya se han identificado 2113 especies y se cree que existen más de 3000.

El Yasuní es, además, una reserva biocultural, porque en el parque viven desde hace siglos varios pueblos amazónicos: la nación Waorani, los Tagaeri y los Taromenane, estos dos últimos llamados también "pueblos en aislamiento voluntario", o sea, pueblos que no quieren tener ningún contacto con la civilización occidental. Los derechos de estos pueblos aislados están reconocidos en la Constitución de Ecuador.

La zona amazónica ecuatoriana es rica en yacimientos de petróleo y actualmente hay una iniciativa para extraer petróleo en el Yasuní. Esta propuesta ha suscitado mucha polémica. Por un lado están los que defienden el petróleo como fuente de riqueza para el país. Por otro, los que defienden la biodiversidad y creen que la explotación petrolera no es una verdadera solución a los problemas del país ni del planeta.

ALGUNOS ANIMALES EN PELIGRO DE EXTINCIÓN

Estudios recientes indican que puede haber tan solo 3200 **tigres** en su hábitat natural. Los tigres ocupan menos del 7% del territorio original, que ha disminuido un 40% durante los últimos 10 años.

El **atún rojo** es un pez migratorio de gran tamaño que vive en el este y oeste del Atlántico y en el mar Mediterráneo. [...] La especie se encuentra muy cerca del colapso si continúan las prácticas de pesca no sostenibles. La prohibición temporal del comercio internacional del atún rojo podría permitir la recuperación de esta especie sobreexplotada.

El **oso polar** del Ártico se ha convertido en un icono de las víctimas afectadas por la pérdida de hábitat debido al cambio climático. [...] El oso polar se podría extinguir en el próximo siglo, si continúa la tendencia actual de calentamiento en el Ártico.

El **gorila de montaña** es una subespecie de gorila en peligro crítico de extinción, con solo 720 individuos en su hábitat natural. [...] Conflictos de guerra en áreas cercanas a uno de los mayores parques naturales donde viven han aumentado su caza y pérdida de hábitat.

Fuente: www.wwf.es

CANCIÓN

¿Dónde jugarán los niños?

Pista 61

Cuenta el abuelo que
de niño él jugó
entre árboles y risas
y alcatraces de color.
Recuerda un río
transparente, sin olores,
donde abundaban peces,
no sufrían ni un dolor.

Cuenta mi abuelo
de un cielo muy azul
en donde voló papalotes
que él mismo construyó.

El tiempo pasó y
nuestro viejo ya murió,
y hoy me pregunté
después de tanta destrucción:

¿Dónde diablos jugarán
los pobres niños?
¡Ay, ay, ay!
¿En dónde jugarán?
Se está quemando el mundo.
Ya no hay lugar.

Fragmento de la canción "¿Dónde jugarán los niños",
del álbum del mismo título (1994)

Maná

__Maná__ es el grupo de pop-rock mexicano más popular en todo el mundo. La banda ha recibido numerosos premios hasta el día de hoy. Además, han creado la Fundación Selva Negra, destinada a la protección del medio ambiente.

VÍDEO

El lince ibérico

Documental sobre el felino más amenazado de Europa, que solo vive en la Península Ibérica.

UNA EXPOSICIÓN

VAMOS A CREAR UNA EXPOSICIÓN PARA LA PROTECCIÓN DEL MEDIO AMBIENTE TITULADA: "LAS VOCES DE LOS QUE NO PUEDEN HABLAR".

¿QUÉ NECESITAMOS?

En papel 
- ✔ cartulina para el póster
- ✔ recortes de revistas y fotografías
- ✔ rotuladores de colores

Con el ordenador 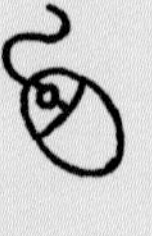
- ✔ ordenadores con conexión a internet
- ✔ algún programa para hacer presentaciones
- ✔ un proyector en el aula

A. Formad grupos y escoged a un ser vivo amenazado (del reino animal o vegetal). Buscad información sobre cuáles son los problemas que ponen en peligro su existencia.

B. Haced una lista de problemas y sus causas. Reflexionad: ¿qué podemos hacer los humanos para evitar la desaparición de la especie que habéis elegido? Haced una lista con las acciones posibles.

C. Redactad frases en primera persona del singular donde habla el animal que habéis elegido dirigiéndose a los humanos y nos dice:

- qué problemas tiene
- qué pasará si no se solucionan
- qué debemos hacer los humanos para solucionarlos (consejos)

Si seguís talando bosques, desaparecerá la capa de ozono. Proteged las grandes selvas del planeta y viviremos en un mundo saludable.

D. Buscad fotografías que ilustren el texto. Confeccionad un póster con los textos y las fotografías.

E. Para finalizar, podéis montar una exposición con todos los pósters que se llamará *La voz de los que no pueden hablar.*

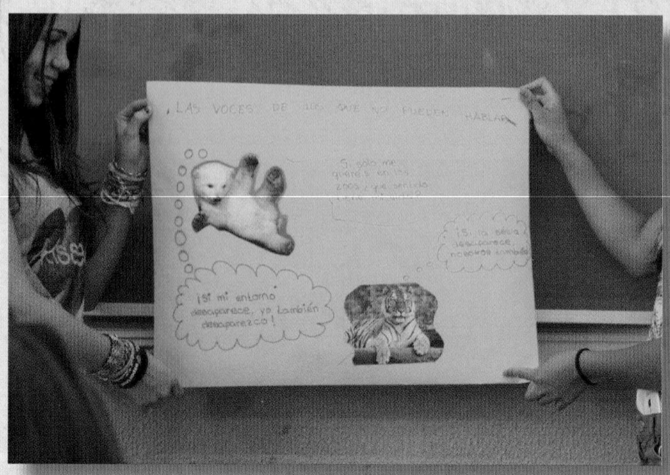

COMPRENSIÓN LECTORA

1. Di si las siguientes afirmaciones son verdad o mentira según el texto. Luego, responde a las preguntas.

	V	M
a. Se utilizará mucha madera.		
b. Habrá grandes ventanas y mucho espacio.		
c. Las casas tendrán menos habitaciones.		
d. Los muebles tendrán varias funciones.		
e. Todo estará informatizado.		

¿Te gustaría vivir en una casa así? ¿Por qué?

¿CÓMO SERÁN LAS CASAS DENTRO DE 100 AÑOS?

Las casas serán pequeñas. Un apartamento tendrá 40 m^2 y será para 3 o 4 personas. No habrá sala de estar, ni comedor, ni despacho: solo tendrá cocina, baño y una única habitación con múltiples funciones: dormitorio, salón, comedor... Las paredes serán móviles para adaptar los espacios. Para preservar la naturaleza, todos los materiales serán artificiales.

En las casas habrá muy poco espacio y muchas pantallas electrónicas que servirán para varias cosas: como computadoras, como videoconsolas, como televisores e incluso como paredes y además, como muchas casas no tendrán ventanas, también podrán servir para proyectar paisajes.

Casi no habrá muebles porque, para ganar espacio, las sillas se podrán convertir en camas o en mesas según las necesidades. Los baños avisarán si el consumo de agua es muy alto y se bloquearán. Habrá música ambiental en las paredes. Las cortinas tendrán un sistema para almacenar la luz, y toda la energía de la casa será solar y estará controlada por micro-ordenadores para gastar en todo momento la mínima cantidad posible.

COMPRENSIÓN ORAL

Pista 62

2. Dos amigos hablan sobre cómo se ven en el futuro. Escucha su conversación, marca las frases verdaderas y corrige las falsas.

a. Diana sabe muy bien lo que quiere en el futuro. ☐

Diana...

b. Diana dice que a lo mejor trabajará de camarera para pagar sus estudios en el extranjero. ☐

c. Lucas está seguro de que tendrá hijos. ☐

d. A los dos les parece muy importante saber ahora lo que van a hacer dentro de 15 años. ☐

EXPRESIÓN ESCRITA

3. Esta es la agenda de Noemí. ¿Puedes escribir sus planes para los próximos días y semanas? Imagina que hoy es el 15 de mayo (usa el futuro imperfecto).

15	16	17	18	19	20	21
	Examen de Ciencias	Entregar el trabajo de español			Fiesta de cumpleaños de Gema	Excursión a la sierra con el grupo
22	**23**	**24**	**25**	**26**	**27**	**28**
18:00 h. Dentista	Examen de Mates			Llevar a Tico al veterinario		
29	**30**	**31**				
		Campeonato de tenis				

EXPRESIÓN ORAL

4. ¿Cómo crees que será el mundo del futuro? Elige uno de estos temas. Cuenta a tus compañeros cómo lo ves dentro de 25 años y termina con un consejo para un mundo mejor.

- las escuelas
- la medicina
- los viajes
- las ciudades

INTERACCIÓN ORAL

5. En parejas, uno es el adivino y el otro le hace preguntas sobre su futuro. El adivino le responde. Después, os intercambiáis los roles.

unidad 5

¡NOS VAMOS DE VIAJE!

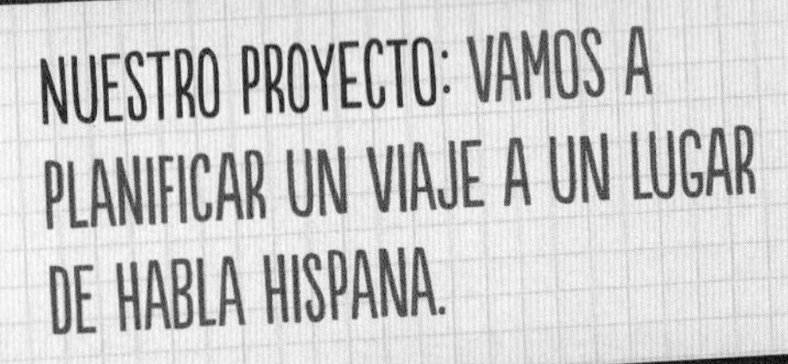

VAMOS A...

- leer mensajes de personas que están de viaje y un folleto turístico;
- escuchar a varias personas que hablan de sus viajes;
- contar en un breve artículo una experiencia de viaje y describir qué se puede hacer en distintos lugares;
- situar una ciudad española en el mapa y hablar de ella; describir una ruta por nuestra región;
- hablar sobre nuestras experiencias de viaje y planificar un viaje futuro;
- conocer la Vía Verde del Ferrocarril vasco-navarro.

VAMOS A APRENDER...

- el condicional;
- a combinar el pretérito indefinido y el pretérito perfecto;
- a situar un lugar: **en el / al norte (de), en el interior**...;
- a describir un lugar: **es una zona con... / en la que... / montañosa**...;
- a hablar de la duración: **durante, desde... hasta, pasar (tiempo en)**...;
- a valorar una experiencia pasada: **lo pasé muy bien, me gustó mucho**...;
- léxico para hablar de viajes;
- a repasar el uso de las preposiciones aprendidas hasta ahora.

1

3

5

2

4

6

Esta mañana hemos visitado **La Boca**, el barrio más famoso, pintoresco y especial de **Buenos Aires**.

Me gusta · Comentar

Y en el medio del **Salar de Uyuni**, en **Bolivia**... ¡sorpresa! Personas de todo el mundo han dejado sus banderas.

Me gusta · Comentar

Madrid en otoño es una maravilla. Ayer estuvimos en el parque del **Retiro** todo el día, bañándonos en colores...

Me gusta · Comentar

¡Adiós, **Barcelona**! Esta ciudad me ha encantado. Han sido unas vacaciones fantásticas: ¡volveremos!

Me gusta · Comentar

Bucear viendo miles de peces en el **Caribe** es lo mejor que he hecho en mi vida. ¡Os lo recomiendo!

Me gusta · Comentar

Hemos estado seis días caminando. Arriba, en los **Andes** te sientes lejos de todo... y cerca del cielo.

Me gusta · Comentar

Estuvimos en...

A. ¿Sabes de dónde son estas fotografías? Relaciona cada comentario con la foto correspondiente.

B. ¿Cuál de estos lugares te gustaría visitar? ¿Por qué?

A mí me gustaría visitar Buenos Aires, porque...

5 MENSAJES DE VACACIONES

1. ¡Esto es fantástico!

A. Cuando estás de vacaciones, ¿cómo te comunicas con tus amigos o con tus familiares? Coméntalo con un compañero.

Yo normalmente escribo mensajes en Facebook, pero siempre les mando una postal a mis abuelos.

B. Leed estos mensajes que han escrito varias personas mientras estaban de vacaciones. En grupos, completad la tabla de la página 69.

1

Óscar: LLegamos ayer, pero no fuimos a la playa... . Andrea está resfriada. ¡Qué aburrimiento!

Luis: Pues en Madrid hace demasiado calor. ¡Qué suerte tienes con la lluvia!

2

10 de agosto

¡Hola! ¿Cómo estáis? ¡Esto es fantástico! El pueblo es muy pequeño y está en las montañas, casi no se ve en la postal. Hemos hecho varias excursiones y lo hemos pasado genial...

¡Aquí no hace calor! Dormimos con una manta, ¡qué gusto! Tere

¡Hasta pronto! Paco Silvia ¡BESOS DE TODOS!

Juan Muñoz
Ronda de Levante, 165, 6° 3ª
30008 MURCIA

PACO DE LUCÍA 1947-2014 Guitarra Española EUROPA B CORREOS ESPAÑA

3

Noelia
20 de agosto

¡Ayer aterricé en Argentina!
Me gusta - Comentar - Compartir - 15

Yolanda
¡Disfruta de la gente, son geniales!
Me gusta - Responder - 2

Noelia
Cuando llegué al aeropuerto me estaban esperando Mariela y su familia. Estoy segura de que vamos a pasarlo superbien. Estoy muy contenta de verla y de conocer Argentina.
Me gusta - Responder - 21

Itziar
¡Me encantaría estar con vosotras!
Me gusta - Responder - 2

Emilio
¡Dale recuerdos!
Me gusta - Responder - 1

MENSAJES

enviar / **recibir** mensajes de móvil
correos electrónicos
postales
cartas
...

escribir / **publicar** mensajes en una red social

colgar / **publicar** fotos / vídeos / ...

PRETÉRITO PERFECTO / PRETÉRITO INDEFINIDO

CE: 1 (p. 53), 3 (p. 63)

No decimos cuándo:

- ***¿Has estado alguna vez** en Mallorca?*
- **No, no he estado nunca.**
- **Sí, he estado** muchas **veces**. / dos **veces**.

Decimos cuándo:

- ***¿Has estado alguna vez** en Mallorca?*
- **Sí, he estado este** verano / año...
- **Sí, estuve** **el** mes / año / ... **pasado**. / **en** 2003. / **hace** dos años.

	1	2	3
¿QUÉ TIPO DE MENSAJE ES?	mensaje de móvil		
¿QUIÉN LO ESCRIBE?			
¿DÓNDE ESTÁ/N?			
¿CÓMO LO ESTÁN PASANDO?			
¿QUÉ TIEMPO HACE?			

C. Escribe los verbos en pasado que aparecen en la actividad 1B. Anota también cuándo crees que suceden los hechos o qué marcador temporal los acompaña.

PRETÉRITO PERFECTO	CUÁNDO
PRETÉRITO INDEFINIDO	**CUÁNDO**
aterricé	ayer

PASAR
PASAR ... (TIEMPO) EN

Este verano ***he pasado*** *cinco días* ***en*** *Mallorca.*

En junio ***pasé*** *cinco días en Mallorca.*

PASARLO BIEN / GENIAL...

Esta tarde ***lo he pasado*** *muy bien en casa de Julia.*

El sábado ***lo pasé*** *genial en casa de Julia.*

En muchos países de Latinoamérica se dice: ***La*** *pasamos muy bien.*

2. ¿A dónde has viajado?

¿A qué lugares has viajado en tu vida? Elige uno y explica cuándo fuiste y cómo fue el viaje. Coméntalo con un compañero.

Yo el año pasado pasé cinco días en París y lo pasé muy bien porque...

3. ¿Has hecho alguna vez...?

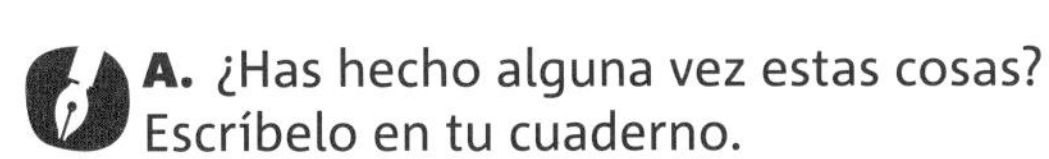

A. ¿Has hecho alguna vez estas cosas? Escríbelo en tu cuaderno.

- Estar en un país latinoamericano
- Esquiar
- Hacer submarinismo
- Bañarte en el mar Mediterráneo
- Comer en un restaurante argentino
- Conocer a una persona famosa
- Hablar en español por la calle

Yo he esquiado muchas veces.

B. Ahora comenta con un compañero si te gustó lo que hiciste.

Lo pasé muy bien en el viaje...

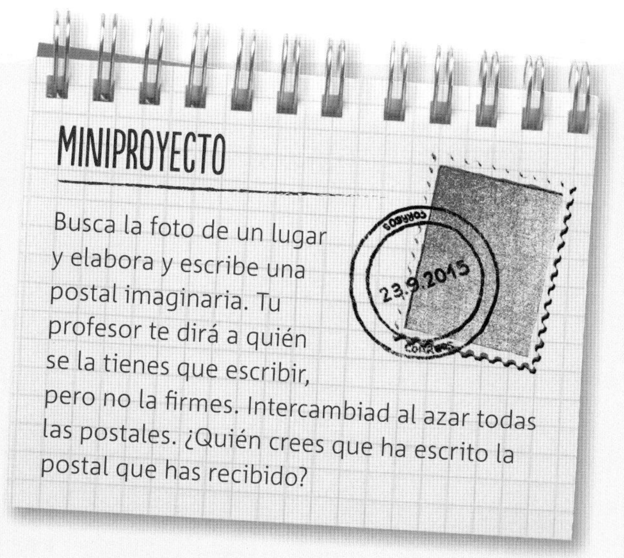

MINIPROYECTO

Busca la foto de un lugar y elabora y escribe una postal imaginaria. Tu profesor te dirá a quién se la tienes que escribir, pero no la firmes. Intercambiad al azar todas las postales. ¿Quién crees que ha escrito la postal que has recibido?

4. De viaje con la clase

CE: 2 (p. 54), 5 (p. 55), 12 (p. 60)

A. El año pasado los alumnos de un instituto de Zaragoza (España) ganaron un premio en un concurso: un viaje para toda la clase. Mira estas fotografías. ¿Qué crees que hicieron durante el viaje?

- Visitaron un monumento.
- Y también fueron en tren.

1

2

3

La Alhambra, monumento de Granada.

4

5

6

VIAJES Y PREPOSICIONES

CE: 4 (p. 54)

EN / PARA

- *¿Cuántos días os vais a quedar **en** La Habana?*
- *Hemos reservado una habitación **en** un hotel **para** cuatro noches.*

POR

- *En verano haremos una ruta a pie **por** el País Vasco.*
- *¿Pasaréis **por** Bilbao?*

DE / A

- *¿Cuándo vuelves **de** México?*
- *Salgo **de** México el jueves por la tarde y llego **a** Madrid el sábado.*

*Vamos una semana **a** Iguazú.*

MEDIOS DE TRANSPORTE

en tren / avión / barco / coche / bicibleta / moto / ...
a pie / caballo

LA DURACIÓN

*He estado **dos días** en Caracas.*
*He estado viajando en tren **durante dos días**.*
*La ruta **dura dos semanas**.*
***Desde el lunes hasta el jueves** estuvimos en León.*
***Pasamos una semana en** un pueblo de la costa.*

Pista 63

B. Hoy han entrevistado a los chicos en la radio. Escucha, mira el mapa y responde a estas preguntas:

1. ¿Cuándo hicieron el viaje?
2. ¿Qué medios de transporte utilizaron?
3. ¿Por dónde pasaron?
4. ¿Cuántos días estuvieron en Granada?
5. ¿Qué visitaron en la ciudad?
6. ¿Y fuera de la ciudad?
7. ¿Qué es lo que más les gustó?
8. ¿Y lo que menos?
9. ¿Compraron algo?
10. ¿A dónde quieren ir el próximo año?

Pista 63

C. Vuelve a escuchar y añade la información que puedas a las fotografías de la página anterior.

Esperando el autobús para ir a Zaragoza.

D. Ahora imagina que eres alumno del instituto Francisco de Goya. Cuenta el viaje a Granada en un artículo para la revista del instituto (80 palabras).

Nuestro viaje a Granada ha sido fantástico. El primer día...

APRENDER A APRENDER
Antes de ponerte a escribir piensa **qué información interesa a los destinatarios** de tu texto. Luego, organiza la información en un **esquema**.

5. ¿Conoces España?

¿Has visitado o te gustaría visitar alguna ciudad española? Señálala en el mapa y explica dónde está y qué cosas interesantes hay.

SITUAR UN LUGAR

en el sur / **en el** norte / **en el** centro / ... (de Perú)
al sur / **al** norte / **al** este / **al** oeste de Lima.

Iquitos está ***en el norte*** *(de Perú).*
Arequipa está ***en el sur*** *(de Perú).*
Huánuco está ***en el centro*** *(de Perú).*
Huánuco está ***al norte de*** *Lima.*
Lima está ***al este de*** *Cusco.*

Lima ***está a (unos)*** *1000 kilómetros de Cusco.*
Arequipa está cerca de *la frontera.*

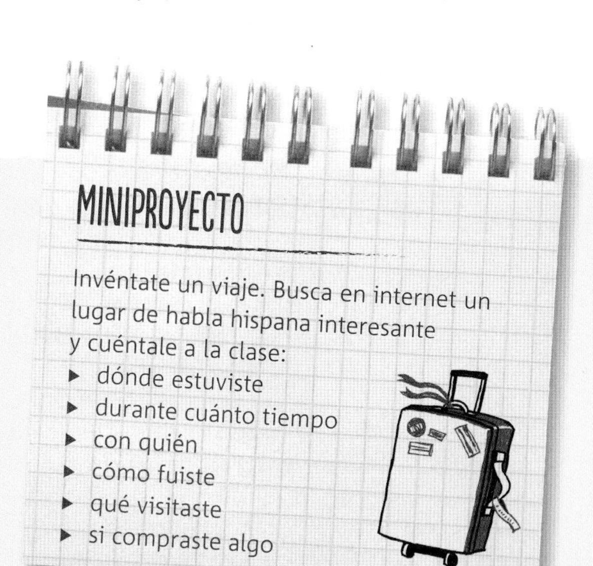

MINIPROYECTO

Invéntate un viaje. Busca en internet un lugar de habla hispana interesante y cuéntale a la clase:
- dónde estuviste
- durante cuánto tiempo
- con quién
- cómo fuiste
- qué visitaste
- si compraste algo

6. ¿A dónde te gustaría ir?

CE: 8 (p. 57), 1 y 2 (p. 62), 1 y 2 (p. 64)

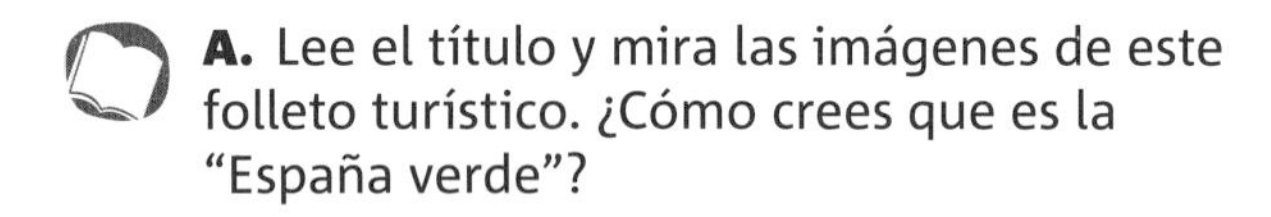

A. Lee el título y mira las imágenes de este folleto turístico. ¿Cómo crees que es la "España verde"?

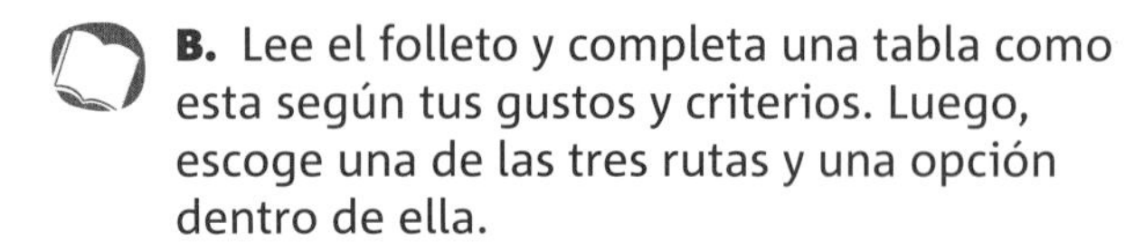

B. Lee el folleto y completa una tabla como esta según tus gustos y criterios. Luego, escoge una de las tres rutas y una opción dentro de ella.

	RUTA 1	RUTA 2	RUTA 3
⊕ ASPECTOS POSITIVOS			
⊖ ASPECTOS NEGATIVOS		el precio	

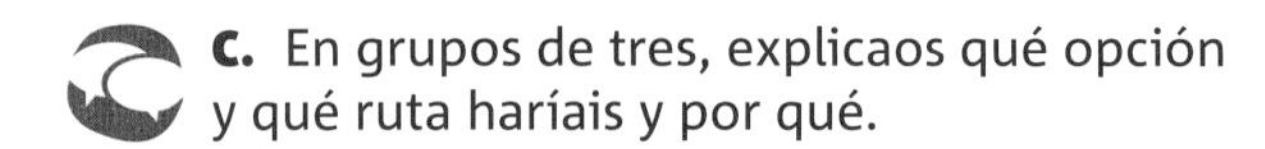

C. En grupos de tres, explicaos qué opción y qué ruta haríais y por qué.

- A mí me gustaría hacer la ruta 2, la del Cantábrico, y visitaría las cuevas de Altamira.
- ¿Y por qué la has elegido?

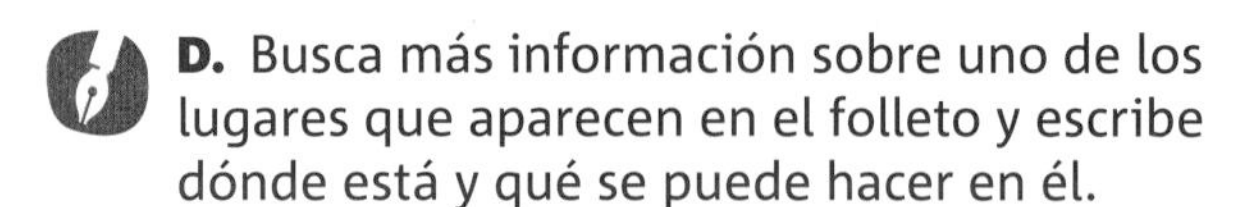

D. Busca más información sobre uno de los lugares que aparecen en el folleto y escribe dónde está y qué se puede hacer en él.

¿SABES QUE...?

En España hay cuatro **lenguas oficiales**: el **español**, que se habla en todo el territorio, el **catalán**, que se habla en Cataluña, en la Comunidad Valenciana y en las islas Baleares, el **gallego**, que se habla en Galicia, y el **euskera**, que se habla en el País Vasco y en Navarra. Además, hay dialectos muy diferenciados y arraigados en algunas zonas, como el bable y el aranés.

LA ESPAÑA VERDE tiene mar, montañas, bosques y cuevas; tiene parques naturales y costas escarpadas y tiene lluvia, mucha lluvia. Paisajes de naturaleza salvaje siempre verde, pero también entornos llenos de historia convierten a este lugar en uno de los sitios más bellos del mundo.

RUTA 1. EUSKADI SOBRE DOS RUEDAS

El País Vasco (o Euskadi) se puede recorrer muy fácilmente en bicicleta, ya que tiene muchas vías preparadas y señalizadas para practicar el cicloturismo. La ruta dura 7 días y 6 noches y es circular: empieza y termina en San Sebastián (Donostia) y pasa por Hernani, Bilbao (Bilbo) y Gernica (Guernika). El recorrido se puede completar con una de estas opciones:

Opción A. Visita al museo Guggenheim (Bilbao).
Opción B. Ruta de tapas por el barrio viejo de San Sebastián.
Opción C. Visita del puerto de Santurce (Santurtzi). Salida en un barco de pesca.

PRECIO:
500 € POR PERSONA

INCLUYE:
Seguro de accidentes, alojamiento en casas rurales a lo largo de todo el itinerario, desayuno y cena.

NO INCLUYE:
Las comidas, las entradas al museo ni la salida en barco.

SITUAR Y DESCRIBIR UN LUGAR

CE: 6 (P. 56), 10 (P. 58)

Bogotá ***está en el interior*** *(de Colombia).*
Medellín y Bogotá ***están en las montañas****.*
Barranquilla es una ciudad que ***está en la costa*** *(de Colombia).*
Cali es una ciudad que ***está en un valle****.*

Es una zona *rural / industrial / turística / ...*
(muy) bonita / (muy) interesante / ...

Es una región *con muchos lagos / monumentos / ...*
donde se puede hacer submarinismo.
en la que hay muchos animales.

BARRANQUILLA
MEDELLÍN
BOGOTÁ
CALI
COLOMBIA

CONSTRUCCIONES IMPERSONALES: LO QUE SE PUEDE HACER

SE + 3ª PERSONA

Se puede *pasear, ir en barco, nadar...*
Se pueden *visitar edificios, museos...*

2ª PERSONA SINGULAR

En Granada en el mes de abril, ***esquías*** *por la mañana y* ***te bañas*** *por la tarde en el mar.*

ESPAÑA VERDE, COSTA VERDE

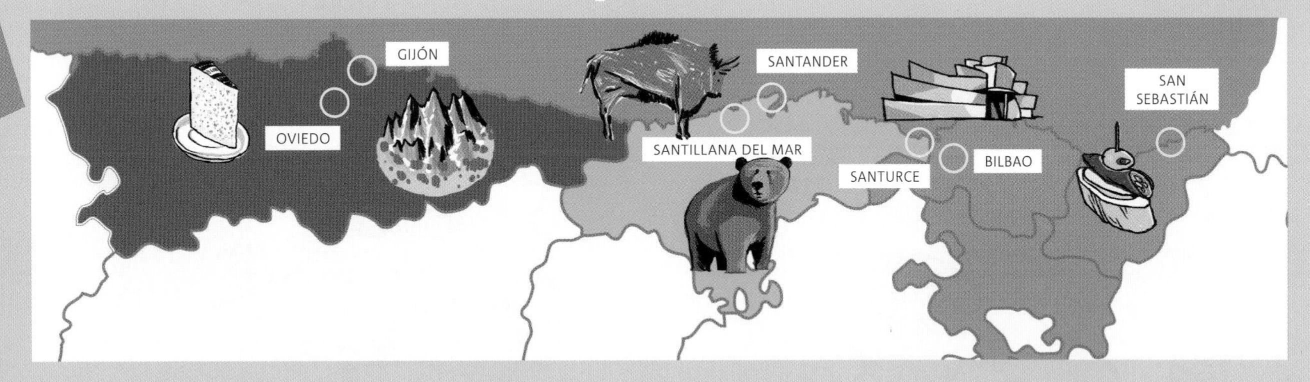

RUTA 2. EL CANTÁBRICO A TODA VELA

Un viaje de una semana en un barco de vela, desde Bilbao a Gijón, con escala en Santander. Incluye una de las siguientes opciones:

Opción A: Visita a Santillana del Mar, a 30 km de Santander, uno de los pueblos medievales más bellos de España.
Opción B: Visita al Museo de las Cuevas de Altamira, con las pinturas prehistóricas más importantes de España. En el museo se muestra una copia exacta de la cueva con todas las pinturas. Está a 40 km de Santander.
Opción C: Visita al Parque de la Naturaleza de Cabárceno. A 15 km de Santander. Se pueden observar toda clase de animales salvajes casi en total libertad.

PRECIO:
1200 € POR PERSONA

INCLUYE:
Curso de vela (iniciación), seguro de accidentes, desayuno, comida, cena y alojamiento en el barco y alquiler del equipo.

NO INCLUYE:
Las comidas fuera del barco ni las entradas al museo y al Parque.

RUTA 3. ASTURIAS A CABALLO

Ruta de cinco días a caballo por el Parque Natural de los Picos de Europa, reserva de la biosfera. Durante el recorrido se encontrarán con espectaculares lagos, montañas, valles y pueblos típicos. Incluye una de las siguientes opciones:

Opción A: Visita a Oviedo y a sus iglesias prerrománicas: Santa María del Naranco y San Miguel de Lillo.
Opción B: Visita a Gijón y comida en un restaurante del puerto de pescadores.
Opción C: Visita a una fábrica de quesos, observación de la fabricación del queso.

PRECIO:
700 € POR PERSONA

INCLUYE:
Un taller de mantenimiento de caballos, seguro de accidentes, alojamiento, desayuno y cena en casas rurales, bolsa de picnic al mediodía.

NO INCLUYE:
Las comidas en restaurantes, ni la entrada a la fábrica.

EL CONDICIONAL

IR	PREFERIR
ir**ía**	preferir**ía**
ir**ías**	preferir**ías**
ir**ía**	preferir**ía**
ir**íamos**	preferir**íamos**
ir**íais**	preferir**íais**
ir**ían**	preferir**ían**

- ***Me gustaría*** *visitar Nueva York.*
- ***Yo preferiría*** *ir a San Francisco.*
- *Pues yo* ***iría*** *de viaje a América del Sur.*

- *Yo nunca* ***iría*** *de vacaciones a la Antártida.*
- *Pues a mí* ***me encantaría****.*

MINIPROYECTO

En pequeños grupos, pensad una ruta de tres días con actividades para chicos extranjeros que quieren visitar vuestra región. Elaborad una ficha como las de esta página (podéis inventar algunos datos).

LUGARES CE: 3 (p. 54), 1 y 2 (p. 61)

*Loreto es un **departamento** de Perú. Tiene siete **provincias** y su **capital** es Iquitos.*
*Loreto es una **región** casi tan grande como España.*
*El **departamento de** Loreto es una **zona** selvática; en ella hay varios ríos que forman el nacimiento del Amazonas. En este **lugar** viven varios pueblos indígenas con culturas no occidentalizadas.*

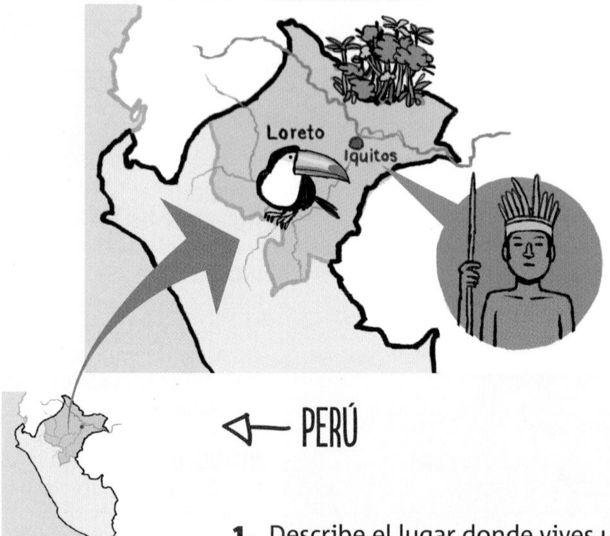

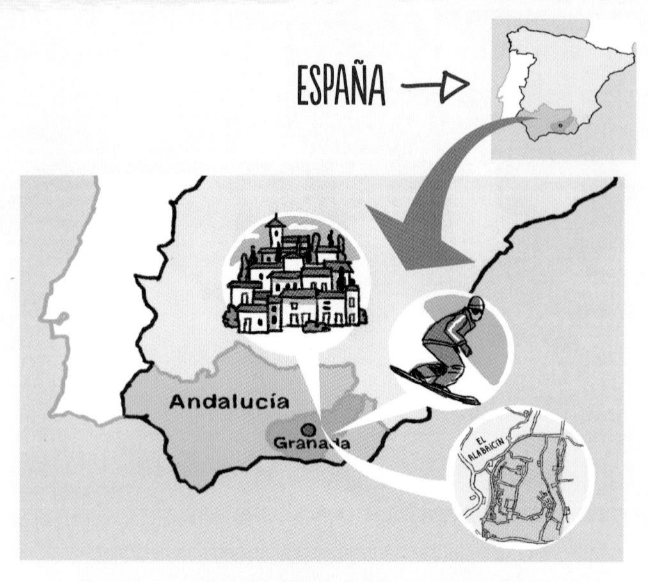

*Andalucía es una **comunidad autónoma** de España. Tiene ocho **provincias** y su **capital** es Sevilla.*
*En la **provincia de** Granada hay una **zona** muy montañosa, Sierra Nevada, donde hay **pueblos** muy bonitos. Además, es un **lugar** fantástico para esquiar. En su capital (que también se llama Granada) hay muchos **sitios** y monumentos para visitar: El Albaicín es el **barrio** más típico.*

1. Describe el lugar donde vives usando seis de estas palabras o expresiones.

EL CONDICIONAL CE: 7 y 9 (p. 57), 11 (p. 59)

REGULARES

	VIAJAR	COMER	DORMIR
yo	viajar**ía**	comer**ía**	dormir**ía**
tú	viajar**ías**	comer**ías**	dormir**ías**
él / ella	viajar**ía**	comer**ía**	dormir**ía**
nosotros/-as	viajar**íamos**	comer**íamos**	dormir**íamos**
vosotros/-as	viajar**íais**	comer**íais**	dormir**íais**
ellos / ellas	viajar**ían**	comer**ían**	dormir**ían**

IRREGULARES

Las terminaciones son las de los verbos regulares. Muchos irregulares en condicional lo son también en futuro y tienen las mismas raíces.

DECIR → **dir**ía PONER → **pondr**ía SALIR → **saldr**ía
HABER → **habr**ía QUERER → **querr**ía TENER → **tendr**ía
PODER → **podr**ía SABER → **sabr**ía VENIR → **vendr**ía

Con el condicional expresamos deseos y preferencias en situaciones hipotéticas:

- *¿Qué vas a hacer en vacaciones?*
- ○ ***Me gustaría** quedarme en mi pueblo, pero vamos a hacer un viaje.*
- *Pues yo **preferiría** no quedarme en casa...*

*Yo **nunca haría** un viaje a la selva, me **daría** miedo. **Preferiría** visitar una ciudad.*

Y hacemos propuestas y recomendaciones:

- *¿Por dónde empezamos a preparar el viaje?*
- ○ *Yo **pediría** información a una agencia de viajes.*
- ■ ***Podríais** mirar primero en internet, ¿no os parece, chicos?*

1. Lee estas frases y escoge una respuesta adecuada entre las frases de la página 75 (a-f). Luego, escribe la forma correcta de los verbos en condicional.

1. ● Oye Gabriel, ¿Qué vas a hacer este verano? ¿Tienes planes?
   ○ Pues no sé, pero la verdad es que me encantaría pasar las vacaciones en el Caribe.
2. ● Estoy cansada de ir a baloncesto por las tardes, creo que lo voy a dejar. ¿Qué te parece?
3. ● ¿Dónde podríamos hacer la reunión para preparar el viaje?
4. ● La semana que viene tenemos que entregar el trabajo y todavía no hemos hecho nada. ¿Por dónde empezamos?
5. ● ¿Qué podríamos hacer este sábado para celebrar mi cumpleaños?
6. ● Tenemos que decidir a dónde vamos de viaje de fin de curso. A mí me gustaría ir a Ibiza. ¿Y a ti?

a. ❍ Yo en tu lugar, antes de dejar el baloncesto, (buscar) ...... otro deporte.
b. ❍ Pues no sé, pero la verdad es que (encantar) ...... pasar las vacaciones en el Caribe.
c. ❍ (Poder) ...... ir al parque nuevo y llevarnos comida para hacer un picnic.
d. ❍ Yo la (hacer) ...... en la cafetería. A esa hora casi no hay nadie, estaremos tranquilos.
e. ❍ Pues primero (tener) ...... que reunirnos todos los del grupo y repartir las tareas, ¿no?
f. ❍ Yo (preferir) ...... ir a las Islas Canarias.

VALORAR ACTIVIDADES

He ido a Mallorca este verano.	***Me ha encantado / me ha gustado mucho.*** ***No me ha gustado mucho / nada.***
	Lo he pasado *muy bien / genial...* ***No lo he pasado muy bien.***
Fui a Mallorca el verano pasado.	***Me encantó / me gustó mucho.*** ***No me gustó mucho / nada.***
	Lo pasé *muy bien / genial...* ***No lo pasé muy bien.***
(habitualmente, en general...)	***Me gusta mucho / encanta*** *viajar.* ***No me gusta mucho / nada*** *viajar.*
	Lo paso *muy bien / genial viajando.* ***No lo paso muy bien*** *viajando.*

REPASO DE PREPOSICIONES

A a + el = **al**	ir **a** Sevilla / México / ... viajar **a** pie / caballo / ... **a** las tres de la tarde
CON	ir / estar / vivir / ... **con** Alberto
DE de + el = **del**	la mochila **de** Roberto unos pendientes **de** oro un amigo **de** Eva plátanos **de** Canarias salir / volver / ... **de** la escuela
DE... A	**de** mi casa **a** la escuela **de** 9 **a** 18.30 h
DESDE... HASTA	**desde** Copenhague **hasta** Sevilla **desde** el sábado **hasta** el martes
EN	**en** verano / Navidad / ... ir **en** coche / tren / avión / ... estar / quedarse **en** casa / la ciudad / ...
PARA	un libro **para** ti una cosa que sirve **para** escribir
POR	viajar **por** España pasar **por** Madrid
CON / SIN	una cámara **con** zoom un ratón **sin** cable salir **con**tigo

2. Usa estos verbos para completar los diálogos. Fíjate bien en los tiempos verbales que necesitas.

encanta | he pasado | encantó | paso | pasamos

a. ● ¿Cómo fue el concierto del sábado pasado?
❍ Genial, lo ...... muy bien.
b. ● ¿Qué tal te ha ido la prueba de danza?
❍ Creo que bien, pero lo ...... muy mal porque estaba muy nerviosa.
c. ● ¿A ti te gusta ir en avión?
❍ ¡Qué va! A mí me ...... viajar, pero cada vez que subo a un avión lo ...... fatal.
d. ● ¿Tú has visto ya la última película de Trueba?
❍ Sí, la vi la semana pasada y me ...... ¡Es buenísima!

3. Escribe lo siguiente:

a. Una actividad que te gusta hacer.
b. Una actividad que te encanta.
c. Algo que hiciste la semana pasada y te gustó.
d. Algo que hiciste el mes pasado y te encantó.
e. Explica una situación en la que no lo pasas bien.
f. Explica la última vez que lo pasaste bien.

4. Completa el texto con las preposiciones adecuadas. Cuidado: a veces debes escribir la preposición unida al artículo.

a. De París ...... Granada hay más de mil kilómetros.
b. Este avión va ...... el aeropuerto de Barajas, en Madrid.
c. Sandra vivió tres años ...... Valencia.
d. Al salir ...... casa me encontré a mi amiga Petra.
e. Fuimos al cine ...... pie porque está muy cerca de mi casa.
f. Hace veinte años hice un viaje ...... barco a Inglaterra. Tardé muchísimo en llegar.
g. Ana volvió ...... la excursión con un gran resfriado.
h. Vamos a estar en España ...... el lunes ...... el domingo.
i. Fuimos a Madrid pero antes pasamos ...... Zaragoza.
j. El próximo mes me voy de viaje de fin de curso ...... todos mis alumnos.
k. A Eduardo le pusieron una multa en el metro el otro día por viajar ...... billete.
l. No voy a salir este fin de semana. Tengo que ahorrar ...... poder comprarme la cámara de fotos.

LA REVISTA

Guía de Chile para viajeros curiosos

La República de Chile forma una estrecha franja de tierra que tiene una longitud de 4270 km (desde la frontera con Perú, en el norte, hasta el Cabo de Hornos, en el sur) y una anchura media de unos 200 km. El 80% de su territorio es montañoso.

La permanencia del marino escocés Alexander Selkirk en la **isla de Más a Tierra** (en el archipiélago de Juan Fernández) entre 1704 y 1709, que en aquellos años estaba desierta, inspiró a Daniel Defoe para escribir su famosa novela ***Robinson Crusoe***.

Chile ha dado al mundo dos poetas que han ganado el premio **Nobel de Literatura**: **Gabriela Mistral**, en 1945, y **Pablo Neruda**, en 1971.

En los Andes chilenos se encuentran la mayoría de **centros mineros** (de cobre, de azufre, de yeso y de hierro), que son el motor de la economía del país. Otra riqueza muy importante para Chile son sus yacimientos de nitrato.

Violeta Parra y **Víctor Jara** son dos **cantautores** chilenos muy famosos. Víctor Jara fue asesinado en 1972 en Santiago de Chile durante el golpe de estado de Pinochet contra Salvador Allende. A Violeta Parra se la conoce como "la voz de los marginados", por eso muchas de sus canciones fueron prohibidas.

El **desierto de Atacama** es uno de los lugares más secos del planeta. En 1971, llovió allí por primera vez después de cuatrocientos años.

Una de las poblaciones más australes (al sur) de la Tierra es **Punta Arenas**. Esta ciudad está sobre el Estrecho de Magallanes, entre el Atlántico y el Pacífico, y su puerto fue el más importante para la comunicación entre estos dos océanos antes de la construcción del canal de Panamá.

La **isla de Pascua** pertenece a Chile, y está situada en la Polinesia, a 3700 km de la costa chilena. Tiene 300 habitantes y dos lenguas oficiales: el rapa nui y el español. Su elemento cultural más conocido son los Moai: enormes estatuas de piedra que representan las caras de los antepasados de los habitantes de la isla.

El cóndor

Nombre científico: "Vultur gryphus".
Hábitat: flanco occidental de la cordillera de Los Andes. Vive en los Andes y es una de las aves más grandes del mundo. Se alimenta de animales muertos y tiene una longitud de 1, 2 m de largo y de 3 m de ancho con las alas abiertas. Los machos pesan de 10 a 15 kg y las hembras, un poco menos. Pueden vivir hasta 50 años. El cóndor ha empezado a extinguirse. En Venezuela y en Colombia ya ha desaparecido completamente. En Ecuador viven menos de 100 ejemplares y en Perú y en Bolivia, el número de cóndores está disminuyendo. Argentina y Chile tienen todavía las mayores poblaciones del mundo pero, para prevenir lo que ha ocurrido en los demás países, se han empezado a poner en marcha proyectos de recuperación y de protección de este majestuoso pájaro.

VÍDEO

Vías Verdes: ¡vive la vía!

En España hay antiguas vías y estaciones de tren que ya no se utilizan. Desde hace unos años, se han acondicionado y se han convertido en las "vías Verdes", una red de caminos ideales para pasear, ir en bicicleta, correr y conocer el paisaje y la historia de distintas regiones.

CANCIÓN

Pista 64

Proverbios y cantares XXIX

Caminante, son tus huellas
el camino y nada más;
caminante, no hay camino,
se hace camino al andar.

Al andar se hace camino
y al volver la vista atrás
se ve la senda que nunca
se ha de volver a pisar.
Caminante, no hay camino
sino estelas en la mar.

Poema: Antonio Machado, *Proverbios y cantares (1917)*.
Canción: Joan Manuel Serrat, *Dedicado a Antonio Machado, poeta (1969)*

Antonio Machado
Fue un importante poeta y escritor español comprometido con su país y con la sociedad en la que vivía. Se exilió durante la Guerra Civil Española. Entre sus poemas más conocidos está el número XXIX de "Poemas y cantares".

UN VIAJE

VAMOS A PLANIFICAR UN VIAJE A UN LUGAR DE HABLA HISPANA.

¿QUÉ NECESITAMOS?

En papel
- fotografías y / o dibujos
- una cartulina grande o varias
- rotuladores, tijeras y pegamento

Con ordenador
- internet
- fotografías o dibujos digitales
- un programa para hacer presentaciones (Power Point, Keynote...)
- un proyector en clase

A. Elegid un destino o una ruta entre cinco o seis posibilidades que os dará vuestro profesor. Agrupaos según vuestra elección en grupos de tres o de cuatro personas.

B. Planificad el viaje tomando notas.

Características

- Tendrá siete días de duración.
- Incluirá varios aspectos: naturaleza, cultura, deporte y ocio.

C. Escribid un plan de viaje con esta información:

- fechas
- medio de transporte (desde vuestro país hasta el destino)
- etapas
- alojamiento y comidas
- visitas y excursiones
- presupuesto (cuánto dinero costará)

D. Anotad qué actividades pensáis hacer para conseguir el dinero para el viaje.

E. Podéis presentar vuestra ruta delante de la clase o entregarla a vuestro profesor.

COMPRENSIÓN LECTORA

1. Lee el texto y responde a estas preguntas:

1. ¿Qué es este texto?
   - **a.** Un e-mail para un amigo
   - **b.** Un diario de viaje
   - **c.** Una postal

2. ¿A dónde ha viajado la autora?
   - **a.** A Buenos Aires, una gran ciudad.
   - **b.** A la selva peruana.
   - **c.** A un lugar de la costa española.

3. ¿Qué te gustaría y qué no te gustaría de un viaje como este? ¿Por qué?

24 de junio de 2013

Hoy hemos hecho una excursión por el río Pacaya y ha sido fantástico. Me he vestido con pantalón largo y camiseta de manga larga para protegerme de los mosquitos.
La excursión ha sido extraordinaria: he visto muchísimos animales y muchísimos árboles gigantescos. Me he apuntado sus nombres en un cuaderno para poder recordarlos.
Hemos parado a comer en una pequeña isla donde vive una familia de indígenas: hemos comido pescado y plátanos. Luego, hemos charlado con ellos.
Por la noche hemos regresado al campamento y hemos hecho una fiesta porque era el cumpleaños de Marina: ¡diecisiete! Le hemos hecho muchos pequeños regalos: caramelos, lápices de colores, bolígrafos, frutas...todo lo que hemos encontrado en nuestras mochilas porque aquí no se puede comprar nada. Luego, ¡a descansar!
Escribo esto a la luz de mi linterna.
Buenas noches...

COMPRENSIÓN ORAL

Pista 65

2. Escucha esta entrevista a unos viajeros y responde a las preguntas.

- ¿Qué tipo de viaje han hecho los cinco chicos?
- ¿Cuántos países han visitado y en cuántos días?
- ¿Cuánto les ha costado el billete de tren?
- ¿Cómo ganaron el dinero para el viaje?
- ¿Cuál era su presupuesto diario?
- ¿Cómo ahorraban dinero en alojamiento?
- ¿Recuerdas algún consejo?

EXPRESIÓN ORAL

3. Explica un itinerario de tres días por un lugar de tu país. Indica por dónde pasa la ruta, qué hay que visitar, el tiempo del recorrido, etc. Ayúdate de un mapa y de fotografías. Puedes usar tus notas del miniproyecto de la página 73.

INTERACCIÓN ORAL

4. Cuenta a tu compañero cuál es el mejor viaje o excursión que has hecho en tu vida. Él te contará lo mismo. Entre los dos, encontrad 3 semejanzas entre vuestras experiencias.

EXPRESIÓN ESCRITA

5. Imagina que estás de viaje con los chicos de esta foto. Escribe una postal a un/a amigo/-a en la que deberás explicar dónde estás, lo que estás haciendo, si lo estás pasando bien, etc.

unidad 6

LAS REGLAS DEL JUEGO

NUESTRO PROYECTO:
VAMOS A CREAR UN JUEGO DE MESA PARA REPASAR LO QUE HEMOS APRENDIDO HASTA AHORA.

VAMOS A...

- entender reglas e instrucciones de juegos y a leer un artículo sobre los videojuegos;
- escuchar opiniones de usuarios y expertos sobre los videojuegos y retransmisiones deportivas;
- formular reglas, a argumentar nuestra opinión y a escribir preguntas para repasar el español;
- hablar de nuestras costumbres con los juegos en el pasado y a explicar las reglas de un juego o deporte;
- discutir sobre el juego y el aprendizaje, a debatir sobre los videojuegos y a jugar a distintos juegos;
- ver a unos chicos que muestran cómo se juega al palotroque.

VAMOS A APRENDER...

- **cada** o **cada uno/-a/-os/-as**;
- **el / la / los / las que** o **quien/es**;
- **el / la / los / las mejor/es / peor/es**;
- **mejor/es / peor/es que**;
- las oraciones relativas con preposición;
- distintos casos de uso de pronombres;
- a dar puntos de vista y réplicas en debates;
- fórmulas para hablar del juego: **me toca tirar**, **tienes tres puntos**, **eso no vale**...;
- léxico de juegos, deportes y videojuegos;
- y vamos a repasar lo que hemos aprendido hasta ahora.

¿Tú a qué jugabas?

Y tú, ¿a qué jugabas cuando eras pequeño/-a? ¿A estos juegos o a otros?

- Yo jugaba bastante con muñecas, como Milena.
- ○ Pues yo jugaba a otras cosas: con videojuegos, con coches teledirigidos...

1. Juegos de toda la vida CE: 1, (p. 65), 13 (p. 72), 1 (p. 76)

A. En parejas, leed las reglas de estos dos juegos y, entre los dos, aseguraos de que las entendéis.

LAS CATEGORÍAS

INSTRUCCIONES

Pueden jugar: Número indefinido, pero suelen jugar 4 o 5 jugadores.

Se necesita: Solamente un papel y un bolígrafo.

¿Cómo funciona? En la hoja de papel se dibujan siete columnas que llevan estos títulos u otros similares: PAÍS, COMIDA O BEBIDA, ROPA, PROFESIÓN, ANIMAL, COLOR. La última columna sirve para anotar los puntos. Una persona dice una letra al azar: el objetivo es escribir una palabra en cada columna que empiece por esa letra lo más rápido posible. El primer jugador que termina dice "basta" y todos dicen las palabras que han escrito. Para contar los puntos, si solo una persona tiene la palabra, esta vale 10 puntos; si la palabra está repetida vale 5 puntos. La duración se acuerda entre todos los jugadores.

¿Quién gana y quién pierde? Gana quien suma más puntos al final de la partida.

¿Dónde se juega? Se puede jugar en cualquier sitio.

No vale: Copiar las palabras de los otros jugadores ni escribir después de escuchar "basta".

LOS CHINOS

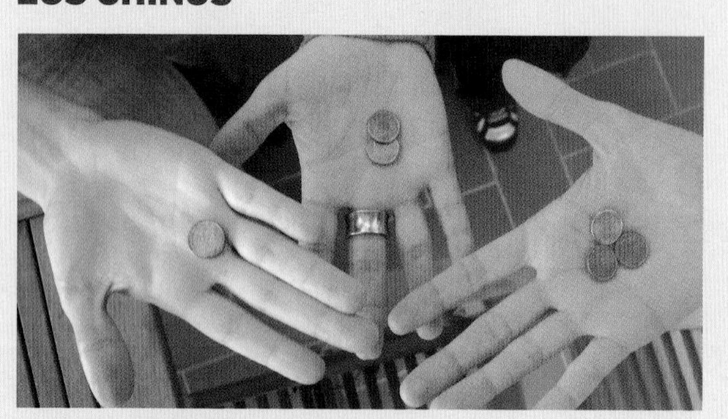

INSTRUCCIONES

Pueden jugar: De 3 a 6 jugadores. También pueden jugar solo dos jugadores, pero no es tan divertido.

Se necesitan: Tres monedas por jugador; mejor si son monedas pequeñas.

¿Cómo funciona? Cada jugador decide poner un cierto número de monedas en una de sus manos (tres, dos, una o ninguna) y la esconde. Todos a la vez enseñan los puños cerrados y cada uno debe tratar de adivinar cuántas monedas hay en total. Naturalmente, a medida que los demás jugadores van hablando, es más fácil adivinarlo.

¿Quién gana y quién pierde? Los que adivinan el número de monedas van dejando de jugar. Pierde el jugador que queda el último.

¿Dónde se juega? Los españoles suelen jugar en los bares, y quien pierde, paga. Los niños suelen jugar en la calle o en los parques y en lugar de monedas, utilizan piedras.

No vale: Repetir una cantidad que ya ha dicho otro jugador.

B. ¿Existen juegos parecidos en tu país? ¿Cómo se llaman?

C. Ahora formad grupos y jugad. ¡Ojo! Hay una regla fundamental: ¡Solo se puede hablar en español!

JUEGOS DE MESA

2. Los juegos y el español CE: 6 (p. 68), 8 (p. 69)

A. ¿Creéis que jugando se aprende? Comenta con un compañero si estáis de acuerdo con estas frases.

1. Con los juegos en la clase se suele perder tiempo.
2. Con los juegos se puede practicar vocabulario, gramática...
3. Los juegos son para niños pequeños.
4. Los juegos deberían servir para cooperar y no para competir.
5. Cuando te diviertes, aprendes más.
6. No a todos los alumnos les gusta jugar.

No estoy de acuerdo con la 1, porque...

B. ¿Conoces estos juegos? Lee las frases y di a qué juego o juegos corresponde cada una.

1. Hay que adivinar una palabra.
2. Se dibuja.
3. Se juega con tarjetas.
4. Se escribe.
5. Se suele jugar individualmente.
6. Hay que encontrar parejas.
7. Se juega en equipos.
8. Hay un límite de tiempo.

TABÚ

CRUCIGRAMA

PINTAPALABRAS

C. Escribe otras reglas de los juegos anteriores: tu compañero tiene que adivinar de qué juego son.

- *Quien pone una ficha dice una frase con cada verbo conjugado.*
- *¿El dominó de verbos?*

¿SABES QUE...?

El juego de mesa más popular en los **países caribeños** (Cuba, República Dominicana, Venezuela, Colombia...) es el **dominó**. Existen muchas modalidades distintas según regiones y países.

SE IMPERSONAL / SEGUNDA PERSONA

***Se** juega con un tablero...*
*Cuando **llegas** a la meta...*

CADA / CADA UNO/-A/-OS/-AS

***Cada** jugador dibuja una tabla. **Cada uno** escribe rápidamente una palabra en **cada** categoría.*

EL / LA / LOS / LAS QUE; QUIEN/ES

***El que** / **Quien** empieza tiene que hacer preguntas.*
*Ganan **los que** / **quienes** adivinan primero la palabra.*

MINIPROYECTO

En grupos de dos o tres vais a crear uno de los minijuegos de esta lista. Después, le pasáis vuestro juego a otro grupo y... ¡a jugar!

- 5 tarjetas del pintapalabras.
- 15 fichas de dominó con un verbo en infinitivo y otro conjugado.
- Un crucigrama con 5 palabras y sus definiciones.
- 5 tarjetas del tabú.

3. ¿Jugamos demasiado con videojuegos?

A. En tu tiempo libre, ¿te gusta jugar con videojuegos? ¿O prefieres hacer otras cosas? Completa esta tabla y compara tus costumbres con las de un compañero.

	... todos los días durante más de dos horas.	... casi todos los días.	... entre una y tres veces por semana.	... de vez en cuando.	... nunca o casi nunca.
Juego con videojuegos...					
Juego a juegos de mesa...					
Hago deporte...					
Hago otras actividades (leer, dibujar, ver la televisión...)...					

B. Lee este artículo. ¿Crees que deberías cambiar tus costumbres?

C. ¿Qué aspectos positivos de los videojuegos señala el artículo? ¿Qué aspectos negativos? Anótalos en una tabla.

JUGAR EN LA ERA DIGITAL

Desde hace unos años, padres y educadores se preguntan sobre el papel de los videojuegos en el ocio de niños y jóvenes. "Pasas demasiado tiempo delante del ordenador", "apaga ya la consola", "te vas a quedar atontado de tanto jugar con maquinitas"... son frases que se escuchan en todas las casas. Pero hoy la cultura digital forma parte inseparable de las experiencias de los adolescentes.

Jugar estimula distintas actividades mentales como la coordinación, los reflejos, la estrategia, la imaginación, la memoria... Y las opciones multijugador, igual que otros juegos colectivos, desarrollan las habilidades sociales: se aprende a compartir, a perder y a ganar, a competir... Actualmente las temáticas y los tipos de juegos son tan variados como lo pueden ser las películas o los programas de televisión. Los adolescentes suelen elegir juegos que se corresponden con sus habilidades y con sus gustos.

Pero los videojuegos también tienen consecuencias negativas. Los chicos y chicas pasan cada vez más tiempo jugando: muchas veces, más de 15 horas por semana.

Esto es un problema si no hacen actividad física en otro momento, ya que hacer ejercicio es necesario para el desarrollo físico y también mental. Además, a veces, estos juegos provocan problemas de adicción (hay muchas personas "enganchadas") en los que el juego llega a dominar la vida del jugador. Estos trastornos son muy difíciles de curar.

Ante esta situación hay quien cree que lo mejor es prohibirlos o, al menos, limitar el tiempo de juego. Otros piensan que hay que hablar con los adolescentes y ayudarlos a ser críticos con los juegos para prevenir adicciones y otros problemas físicos y psicológicos. El debate sigue abierto.

PROS Y CONTRAS DE LOS VIDEOJUEGOS

pasar un buen rato
relajarse

estimular | la mente / la imaginación / la memoria

aprender | a compartir / a competir / a perder / ganar

pasar demasiado tiempo | sin moverse / jugando

estar enganchado
aislarse de los demás
dejar de hacer otras cosas

provocar problemas | de | sueño / concentración / comunicación
| con | la familia / los estudios

4. Preguntamos a una experta

Pistas 66-68

A. Una psicóloga especialista en videojuegos participa en un programa de radio. Escucha y escribe las preguntas de los oyentes.

Pistas 66-68

B. Vuelve a escuchar el programa y anota lo que entiendes de las respuestas. ¿Qué le preguntarías tú a la psicóloga?

	Preguntas
Oyente 1	
Oyente 2	
Oyente 3	

	Respuestas
Pregunta 1	
Pregunta 2	
Pregunta 3	

5. A debate CE: 3 (p. 75)

A. Se divide la clase en 2 grupos: unos van a ser los críticos (alumnos A) y otros los defensores de los videojuegos (alumnos B). Recordad: se trata de un juego de rol, no son vuestras opiniones reales.

CRÍTICOS

ALUMNOS A. Haced una lista de argumentos contra los videojuegos en general o contra algún tipo de videojuegos en particular.

DEFENSORES

ALUMNOS B. Haced una lista de argumentos a favor de los videojuegos en general o de algún tipo de videojuegos en particular.

APRENDER A APRENDER
En un debate lo más importante es escuchar a las personas que hablan y contestar con **argumentos relacionados** con lo que se ha dicho antes.

B. Formad pequeños grupos (de críticos o de defensores) y pensad vuestros argumentos. Tomad notas.

C. Vais a celebrar el debate, un equipo A frente a un equipo B, delante de la clase. Vuestro profesor lo moderará.

PUNTOS DE VISTA Y ARGUMENTOS CE: 1 (p. 74), 2 (p. 75)

EXPONER

Yo creo que *no se puede jugar todos los días.*
Yo pienso que *jugar con videojuegos ayuda a desarrollar la coordinación.*
Yo opino que *los padres deberían limitar el tiempo de juego.*
A mí me parece que *lo mejor es ser responsable.*

REPLICAR

Yo ***no lo veo como tú****, porque...*
Yo ***no estoy de acuerdo con*** *lo que dice Laura. Yo pienso que...*
Creo que ***tienes razón*** *con lo de la violencia, pero...*

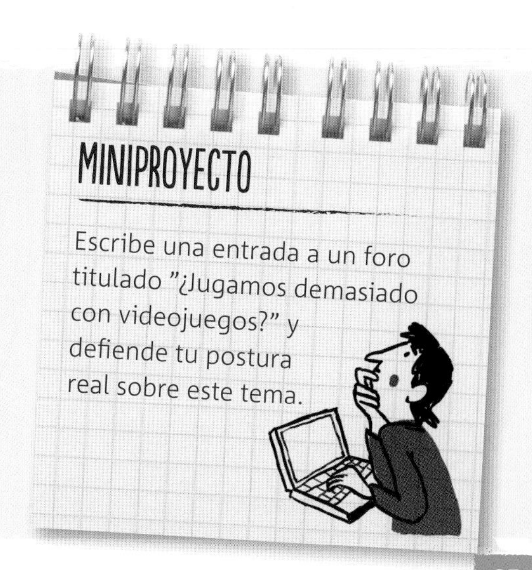

MINIPROYECTO

Escribe una entrada a un foro titulado "¿Jugamos demasiado con videojuegos?" y defiende tu postura real sobre este tema.

6. El juego de la bola

CE: 1 (p. 73)

En este juego encontraréis muchas palabras y expresiones relacionadas con el deporte. También hay informaciones y curiosidades. ¿Por qué no jugáis?

1 Es un deporte en el que se usan muchos palos.

2 Explicad al menos tres reglas del baloncesto.

3

4 Si fallas dos veces el saque, es doble falta. ¿En qué deporte?

5

6 ¿El fútbol y el fútbol americano son lo mismo? Explicad tres diferencias.

7 La principal carrera se hace en Francia y recorre todo el país.

8

9

10

11 Llevan ropa blanca y cinturones de distintos colores; los mejores llevan un cinturón negro.

12 Hay muchos deportes en los que hay que meter una pelota en algún sitio. Decid al menos cinco.

13

14 ¿Qué tres cosas suelen pasar en un partido de balonmano?

15

16

17 ¿Sabéis jugar a algún deporte de equipo? Explicad tres reglas.

18 Se practica con guantes y mucha gente piensa que es demasiado violento.

19

20 ¿Podéis explicar qué es en fútbol un "fuera de juego"?

21 Hay deportes en los que participan animales. ¿Conoces tres?

22

23

24 Uno del equipo tiene que explicar cuál es su deporte favorito y por qué.

25

26 Lo practican muchas chicas de menos de 16 años. Parece danza, parece circo...

27

28 Se necesitan dos raquetas, una red y una pelota con plumas.

29

30 Cinco deportes en uno, casi para superhumanos: tiro, esgrima, natación, equitación y carrera.

31 Hablad de este deporte.

32

33 Consiste en correr a pie la distancia de 42 195 m. ¿Qué sabéis de su origen?

34

LAS REGLAS

- Juegan cuatro equipos: el rojo, el verde, el azul y el amarillo.
- Solo necesitáis un dado.
- Cada equipo tira el dado y avanza las casillas correspondientes con su ficha. Uno de sus miembros tiene que hablar.
- Alguien debe anotar dónde está cada equipo.
- Quien cae en una casilla de **bola** tiene que decir "De bola a bola y tiro porque mola" y avanzar hasta la próxima bola.
- Quien cae en **una tarjeta roja**, está expulsado y pierde dos turnos.
- Quien cae en **una tarjeta amarilla**, pierde un turno.
- Cuando se cae en **una casilla de penalti**, se puede volver a tirar después de hablar.

7. Gol, gol, gooool... CE: 9 (p. 70)

Pistas 69-72

A. Escucha estos fragmentos de retransmisiones deportivas. Ponte de acuerdo con tus compañeros para saber de qué deporte se trata en cada fragmento.

atletismo (100 metros libres)

baloncesto | fútbol | tenis

1	2	3	4

B. ¿Qué palabras o sonidos os han ayudado a reconocer los deportes?

raqueta

baloncesto

tenis

golf

palo

balonmano

pelota

fútbol

MINIPROYECTO

En grupos de tres, elegid un deporte y explicad las reglas brevemente sin decir su nombre. El resto de la clase debe adivinarlo. Pueden haceros preguntas.

- Consiste en tocar la pelota con una raqueta. Se juega en un campo en el que hay una red en el medio.
- ¿Se practica en equipo?
- A veces, pero de dos jugadores, máximo.

EXPLICAR EL OBJETIVO DE ALGO

***Consiste en** conseguir quedarse sin cartas.*
***Se trata de** meter la bola en el hoyo.*

ORACIONES RELATIVAS CON PREPOSICIÓN

*Es un juego en **el que** pueden ganar varias personas.*
*Hay varias casillas en **las que** es mejor no caer.*
*Hay una raqueta con **la que** se golpea la pelota.*

MEJOR / PEOR

Como adjetivos:
*Este balón es **mejor que** el mío.*
*Este balón es **el mejor**.*

Como adverbios:
*Marina juega **peor que** Azucena.*
*Marina es **la que** juega **peor**.*

UN PARTIDO DE BALONMANO

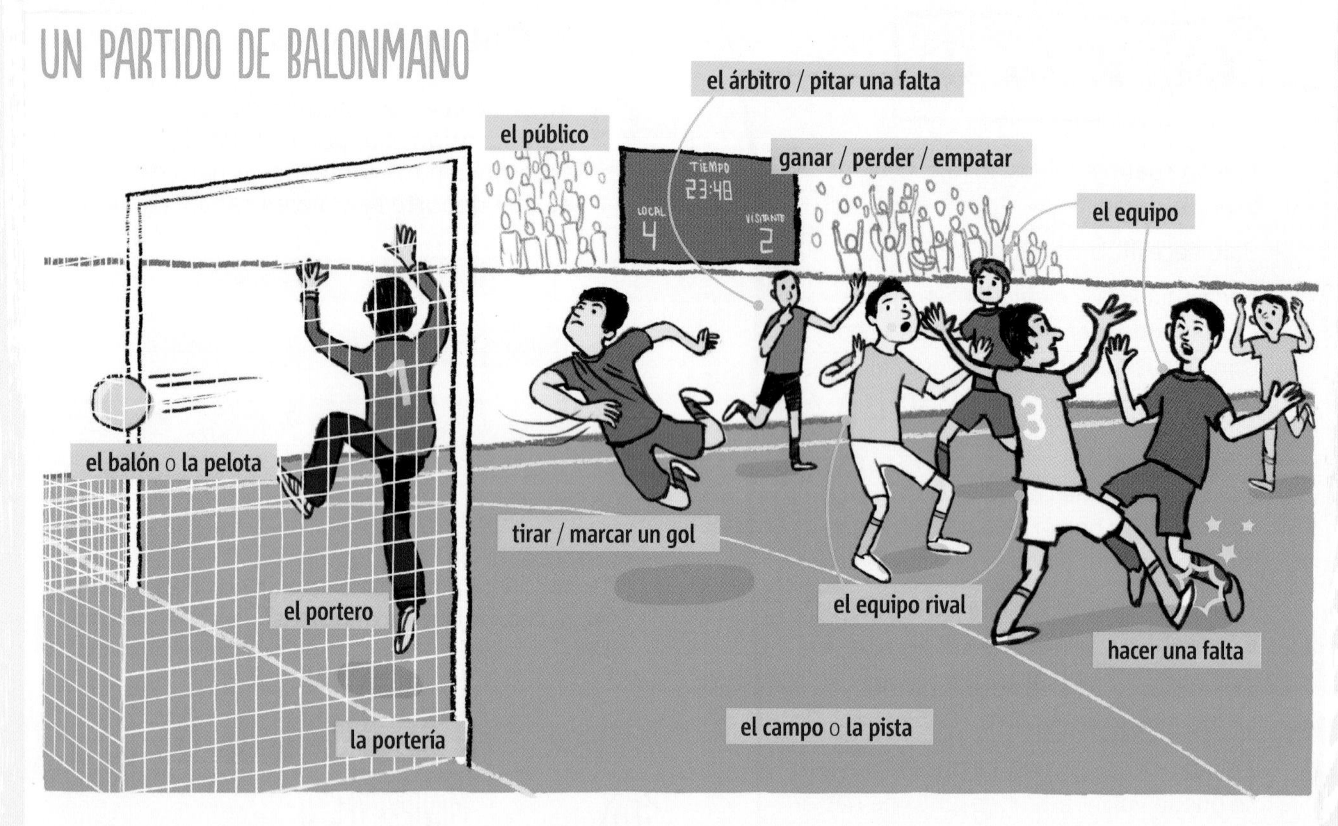

1. Escribe al menos cinco frases para explicar qué está pasando en este dibujo.

Un jugador del equipo rojo tira la pelota y marca un gol.

COMPARATIVOS Y SUPERLATIVOS CON MEJOR Y PEOR

CE: 10 y 11 (p. 71)

En frases comparativas y superlativas solemos usar los adjetivos **mejor / peor** en lugar de **más bueno / más malo**.

→ **mejor/es / peor/es que** > COMPARATIVO
→ **el / la / los / las mejor/es / peor/es** > SUPERLATIVO

*Nuestra portera es **mejor que** la suya.*
*Sus jugadoras son **peores que** las nuestras.*
*Nuestra portera es **la mejor**.*
*¡Somos **las mejores**! (nosotras)*

En frases comparativas y superlativas siempre usamos los adverbios **mejor / peor** en lugar de ~~más bien~~ / ~~más mal~~.

→ **mejor / peor que** > COMPARATIVO
→ **el / la / los / las que** + verbo + **mejor / peor** > SUPERLATIVO

*El equipo rojo ha jugado **mejor que** el azul.*
*Los jugadores rojos han jugado **mejor que** los azules.*
*Nuestro equipo es **el que** ha jugado **peor**.*
*Nuestros jugadores son **los que** han jugado **peor**.*

Lo mejor: para elegir entre cosas distintas o para resaltar un aspecto.

● *Entonces, ¿a qué jugamos, al tabú, al pintapalabras...?*
○ ***Lo mejor** es jugar al tabú, porque no tenemos lápices ni papel.*

***Lo mejor** es pasarlo bien jugando.*

2. ¿Quién juega, canta o conduce mejor o peor? Termina estas frases:

a. ¿Leo Messi o Cristiano Ronaldo?
Cristiano Ronaldo juega......

b. ¿Rihanna o Lady Gaga?
Rihanna canta......

c. ¿Fernando Alonso o Sebastian Vettel?
Fernando Alonso conduce......

3. ¿Quién es el / la mejor o peor ...... del mundo?

- Juego — *El mejor juego del mundo es...*
- Cantante ......
- Libro ......
- Actor / Actriz ......
- Amigos / Amigas ......

ORACIONES RELATIVAS CON PREPOSICIÓN

CE: 4 (p. 67), 12 (p. 72)

Hay una **portería**. Hay que meter el balón en la **portería**.

*Hay una portería en **la que** hay que meter el balón.*

*Es un deporte para **el que** hay que estar en muy buena forma.*
*Hay un tobogán d**el que** se tiran los esquiadores.*
*Se necesitan unos palos con **los que** golpeas una bola.*
*Hay tres paredes a **las que** puedes lanzar la bola.*
*El lugar desde **el que** se tira se llama salida.*

4. ¿Qué es? Completa estas definiciones con una preposición y escribe el nombre del objeto. Si no lo sabes en español, búscalo en el diccionario.

a. Es un objeto ...... el que guardamos las monedas: ......
b. Es un lugar ...... que vas para sacar dinero: ......
c. Es un sitio alto ...... el que saltan los nadadores: ......
d. Es un aparato ...... el que nos secamos el pelo: ......
e. Es una superficie ...... la que escribe el profesor en la clase: ......

5. Escribe definiciones como las de la actividad anterior. Piensa si se trata de un objeto, de un aparato...

a. La televisión: ......
b. El ordenador: ......
c. El mando de la consola: ......
d. El supermercado: ......
e. Las gafas: ......
f. Facebook: ......

EL / LA / LOS / LAS QUE; QUIEN/ES

CE: 2 y 3 (p. 66)

el / la / los / las que → cualquier sustantivo
*Hay siete jugadores. **El que** se queda sin cartas, gana.*
*Se reparten seis cartas a cada jugador. **Las que** no se reparten se ponen en el medio.*

quien / quienes → solo sustantivos referidos a personas
*Hay siete jugadores. **Quien** se queda sin cartas, gana.*
***Quienes** no pueden tirar tienen que coger una carta y esperar su turno.*

6. Lee las reglas del parchís y sustituye las expresiones en negrita.

REGLAS DEL PARCHÍS

Cada jugador tiene varias fichas que empiezan el juego en sus "casas". Se trata de llevar todas las fichas a la casilla triangular del centro tirando un dado. Algunas reglas importantes:

- El jugador que obtiene el número más alto es **el jugador que** comienza. Para salir de casa hay que sacar un 5. **Los jugadores que** no sacan un 5 no pueden salir y tienen que esperar al próximo turno.
- Dos fichas del mismo color en la misma casilla forman una barrera (no se puede pasar), pero si **el jugador que** ha formado la barrera saca un 6 está obligado a mover una ficha.
- Cuando una ficha cae en la misma casilla que **la ficha** de un contrario, se la come. Esta vuelve a casa y **el jugador que** se la ha comido avanza 20 casillas.

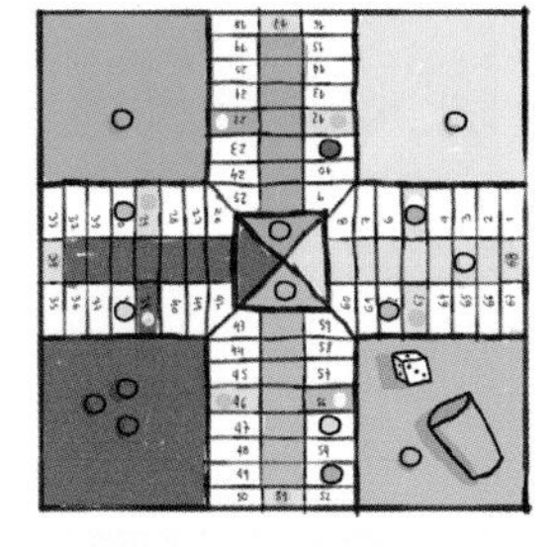

7. ¿Conoces algún juego parecido? Si lo conoces, escribe algunas reglas más.

PRONOMBRES: CUANDO NO HACE FALTA DECIR LOS SUSTANTIVOS

CE: 5 (p. 68)

Muy frecuentemente usamos ciertas palabras para no decir un sustantivo que ya se ha dicho o que ya conocemos por el contexto. Son los pronombres, y hay de muchas clases.

las amarillas	←	las ~~fichas~~ amarillas
la mía	←	mi ~~ficha~~
esta	←	esta ~~ficha~~
las que están en casa	←	las ~~fichas~~ que están en casa
quien tira	←	~~el jugador~~ que tira
cada uno	←	cada ~~jugador~~
el primero	←	el primer ~~jugador~~
alguno	←	algún ~~jugador~~
ninguno	←	ningún ~~jugador~~
alguien	←	alguna ~~persona~~
nadie	←	ninguna ~~persona~~

8. Completa los diálogos usando alguno de pronombres de este apartado.

a. ¿Por qué no habéis empezado la partida?
Porque todavía no ha venido ....
b. ¿...... quiere jugar al parchís? Es que nos falta una persona.
c. ¿Cómo se empieza este juego?
Todos los jugadores eligen un color y después, ... tira el dado. Para salir tienes que sacar un cinco.
d. ¿Quién gana?
Gana el ...... que llega a la meta.
e. ¿Qué fichas no pueden moverse?
...... que están en casa o antes de una barrera.
f. ¡Atención! Me como esta ficha, cuento 20 casillas y me como también .... ¡Os voy a ganar!
g. ¿Qué ficha se ha comido? ¿La de Carlos?
No, ¡ ...... ! ¡Ahora las tengo todas en casa otra vez!
h. ¡He ganado! Tengo todas las fichas en la meta.
Pues yo no tengo ...... ¡Qué mala suerte he tenido!

LA REVISTA

Las rivalidades más famosas

CE: 7 (p. 69)

Hay equipos que mantienen una fuerte rivalidad porque son de una misma ciudad, región o país. Los partidos que los enfrentan, llamados *derbis*, o *clásicos*, despiertan mucho interés porque los seguidores pueden ser vecinos o incluso miembros de la misma familia, pero defienden los colores de dos equipos rivales. Entre las parejas de rivales futbolísticos del mundo, dos de las más famosas son:

BOCA JUNIORS

Fundación: 1905
Títulos: 29 veces campeón nacional, 6 Copas Libertadores, 3 Copas Intercontinentales
Jugadores de leyenda: Riquelme, Maradona, Márcico, Meléndez, Palermo
Uniforme: camiseta azul con una franja horizontal amarilla, pantalones y calcetines azules
Estadio: Alberto Jacinto Armando, también llamado "La bombonera", (49 000 espectadores)

RIVER PLATE

Fundación: 1901
Títulos: 35 veces campeón nacional, 2 Copas Libertadores, 1 Copa Intercontinental
Jugadores de leyenda: Bernabé, Ferreira, José María Moreno, Francescoli, Walter Gómez
Uniforme: camiseta blanca con franja roja en diagonal y cuello negro con raya roja, pantalones negros y calcetines blancos
Estadio: A. Vespucio Liberti, también llamado "El Monumental" (61 300 espectadores)

FÚTBOL CLUB BARCELONA

Fundación: 1899
Títulos: 22 veces campeón de Liga, 26 Copas del Rey, 4 Copas de Europa, 4 Copas de la UEFA, 4 Recopas de Europa, 4 Supercopas de Europa

Jugadores de leyenda: Kubala, Cruyff, Schuster, Maradona, Ronaldinho, Xavi, Messi
Uniforme: camiseta con franjas verticales azules y granates, pantalones azules y calcetines azules con ribetes granates
Estadio: Camp Nou (99 300 espectadores)

REAL MADRID

Fundación: 1902
Títulos: 32 veces campeón de Liga, 19 Copas del Rey, 10 Copas de Europa, 2 Supercopas de Europa, 2 Copas de la UEFA, 3 Copas Intercontinentales
Jugadores de leyenda: Di Stefano, Butragueño, Zidane, Ronaldo Nazário, Raúl, Cristiano Ronaldo, Casillas
Uniforme: camiseta, pantalones y calcetines blancos
Estadio: Santiago Bernabéu (81 000 espectadores)

Datos: páginas web de los clubes (2014)

curiosidades

A los seguidores de River Plate se los llama "gallinas" y también "millonarios" por los precios pagados en la compra de algunos jugadores.

El estadio de River Plate, llamado "El Monumental", tiene forma de coliseo romano. Es el más grande de Argentina y es la sede de la selección nacional.

Los seguidores de Boca Juniors reciben varios nombres: "boquenses", "bosteros", "la Doce" o "xeneizes" (que quiere decir "genoveses" en el dialecto local). La X que lleva su camiseta es una referencia a este apodo.

A los jugadores del Real Madrid los llaman también "merengues" (un dulce de color blanco) por el color de su uniforme.

Barça (pronunciado "barsa") es el nombre popular catalán con el que se conoce al F.C. Barcelona.

A los aficionados del Barça también se los llama familiarmente "culés".

> **"*El aprendizaje es el juego más divertido en la vida. Todos los niños creen esto y continúan creyéndolo hasta que los adultos les convencen de que el aprendizaje es algo difícil y costoso. Algunos niños nunca aprenden esta lección y atraviesan la vida creyendo que aprender es divertido y es un verdadero juego. Tenemos un nombre para estas personas. Las llamamos genios.*"**
>
> Glenn Doman (1919-2013, médico estadounidense)

VÍDEO

¿Cómo se juega al palotroque?

Unos chicos y chicas colombianos explican las reglas del juego del palotroque y muestran cómo juegan en su colegio.

UN JUEGO POPULAR: **LA RANA**

NOMBRE

Juego de la rana:
España y Chile
Juego de sapo:
Perú y Argentina
Tiro al sapo:
Bolivia
Rana:
Colombia

REGLAS

Se puede jugar en equipos o de forma individual. Se suele jugar normalmente en la calle o en los jardines de las casas. Los jugadores se colocan a una distancia de al menos dos metros y tiran unas fichas de metal llamadas *tejos*. Se trata de meter el mayor número de tejos en los agujeros. Cada agujero suma una cantidad de puntos diferentes. La máxima puntuación se recibe cuando se mete la ficha... ¡en la boca de la rana!

UN JUEGO DE MESA

VAMOS A CREAR UN JUEGO DE MESA PARA REPASAR LO QUE HEMOS APRENDIDO HASTA AHORA.

¿QUÉ NECESITAMOS?

En papel
- cartulinas de colores, rotuladores
- tijeras, pegamento

Con ordenador
- un programa para dibujar
- un procesador de textos
- una impresora

En los dos casos
- dados y fichas

A. Buscad información en el libro y escribid tres preguntas por unidad sobre lo siguiente.

- **Comunicación.** Ejemplos: "Describe tu carácter con al menos tres expresiones", "Di tres formas de reaccionar ante una anécdota", "Haz una predicción con **si**", etc.
- **Léxico.** Ejemplos: sinónimos, contrarios, definiciones, etc.
- **Gramática.** Ejemplos: "¿Cuál es el indefinido de...?", "Di una frase con tres pronombres", etc.
- **Cultura.** Ejemplos: "¿Dónde está y por qué es famosa la isla de Pascua?", "¿Qué es un romance?", etc.

B. Escribid las preguntas en tarjetas y numeradlas.

C. Pensad y escribid las reglas del juego.

D. Diseñad el tablero y preparad los dados y las fichas. ¡Ya podéis jugar!

COMPRENSIÓN LECTORA

1. Lee las reglas del juego del pañuelo. Luego, contesta a estas preguntas.

a. ¿Cuántos jugadores hay?
b. ¿Dónde se juega?
c. ¿Cuál es el objetivo del juego?
d. ¿Qué no vale?
e. ¿Quién gana?

El pañuelo es un juego muy popular en muchos países. Se juega en cualquier espacio abierto (parques, plazas, patios de colegio...). Las reglas son las siguientes: se forman dos equipos que se colocan en dos líneas, unos delante de los otros, a una distancia de al menos 15 o 20 metros. Una persona dibuja una línea recta que divide el campo en dos mitades iguales y se coloca sobre esa línea con un pañuelo en la mano. Se trata de coger el pañuelo y volver corriendo al sitio sin ser tocado. Si los equipos son de 10, cada jugador tiene un número (secreto) del 1 al 10. Entonces, la persona que está en el centro grita un número y los dos jugadores que lo tienen corren hacia el pañuelo e intentan cogerlo. No se puede traspasar la línea hasta que uno de los dos ha cogido el pañuelo. El jugador que tiene el pañuelo corre hacia su sitio y el que no lo tiene, intenta tocarlo. El que pierde, sale del grupo y da su número a otro jugador, que entonces tiene dos números, y así sucesivamente hasta que queda un solo jugador. Su equipo es el que gana.

COMPRENSIÓN ORAL

Pista 73

2. Unos chicos hablan sobre su experiencia con los videojuegos. Escúchalos y escribe la respuesta correcta.

a. ¿Cuántos chicos y chicas opinan?
b. ¿A cuántos chicos les gustan los videojuegos? ¿A cuántos no les gustan?
c. ¿A cuántas chicas les gustan? ¿A cuántas no?
d. ¿Por qué las chicas juegan menos? Escribe dos opiniones que has escuchado.

EXPRESIÓN ESCRITA

3. Escoge un juego de tu país y escribe las reglas.

EXPRESIÓN ORAL

4. ¿Te gusta aprender idiomas con juegos? Si te ayudan, explica por qué y cuáles prefieres. Si no, explica por qué y qué otras actividades prefieres para aprender.

INTERACCIÓN ORAL

5. ¿A qué jugabas cuando eras pequeño/-a? Coméntalo con un compañero y pregúntale lo mismo a él. ¿Coincidís en algún juego?

NOTAS

GRAMÁTICA Y COMUNICACIÓN

DEMOSTRATIVOS

Para señalar un objeto o a una persona, usamos los demostrativos.

SINGULAR		
este libro	**ese** regalo	**aquel** niño
esta falda	**esa** camiseta	**aquella** mesa

PLURAL		
estos vasos	**esos** relojes	**aquellos** chicos
estas botas	**esas** camisetas	**aquellas** tiendas

Este *libro es un poco aburrido.*
¿Quiénes son ***estas*** *chicas de la foto?*
¿Quieres ***esas*** *o* ***aquellas****?*

Cuando nos referimos a algo cuyo género no está determinado, usamos las formas neutras **esto** / **eso** / **aquello**.

● *¿Para quién es* ***esto****?*
❍ *Para Andrés.*
● *¿Y* ***eso*** *de allí?*
❍ *Para Jimena. Es un regalo.*

POSESIVOS

POSESIVOS ÁTONOS

Para identificar un objeto o a una persona, podemos usar los posesivos. Los posesivos concuerdan en género y en número con la cosa que se posee.

SINGULAR	
mi amigo	**mi** amiga
tu pantalón	**tu** camisa
su colegio	**su** escuela
nuestro proyecto	**nuestra** canción
vuestro cuaderno	**vuestra** libreta
su libro	**su** mochila

PLURAL	
mis amigos	**mis** amigas
tus pantalones	**tus** camisas
sus colegios	**sus** escuelas
nuestros proyectos	**nuestras** canciones
vuestros cuadernos	**vuestras** libretas
sus libros	**sus** mochilas

● *¿Quién es* ***su*** *mejor amiga?*
❍ ***Su*** *mejor amiga es Ainara.*

● *¿Dónde están* ***vuestras*** *chaquetas?*
❍ *En tu habitación.*

POSESIVOS TÓNICOS

Para informar sobre el propietario de algo usamos la serie:

MASC. / SING.	FEM. / SING.	MASC. / PLUR.	FEM. / PLUR.
mío	**mía**	**míos**	**mías**
tuyo	**tuya**	**tuyos**	**tuyas**
suyo	**suya**	**suyos**	**suyas**
nuestro	**nuestra**	**nuestros**	**nuestras**
vuestro	**vuestra**	**vuestros**	**vuestras**
suyo	**suya**	**suyos**	**suyas**

● *¿De quién es este relato tan divertido?*
❍ *Es* ***suyo****.*

Con artículos determinados, los posesivos tónicos sirven para sustituir a un sustantivo ya mencionado o conocido por el interlocutor gracias al contexto.

MASC. / SING.	FEM. / SING.	MASC. / PLUR.	FEM. / PLUR.
el mío	**la mía**	**los míos**	**las mías**
el tuyo	**la tuya**	**los tuyos**	**las tuyas**
el suyo	**la suya**	**los suyos**	**las suyas**
el nuestro	**la nuestra**	**los nuestros**	**las nuestras**
el vuestro	**la vuestra**	**los vuestros**	**las vuestras**
el suyo	**la suya**	**los suyos**	**las suyas**

● *¿****El tuyo*** *también es divertido?*
❍ *No,* ***el mío*** *es de terror.*

Con artículos indeterminados, con los posesivos nos referimos a relaciones entre personas. En este caso el posesivo va siempre después del nombre.

● *¿El curso pasado ganaste tú el concurso?*
❍ *No, lo ganó* ***una*** *amiga* ***mía****.*

● *¿Con quién está hablando Irene?*
❍ *Con* ***una*** *prima* ***suya****.*

Pero usamos los posesivos átonos cuando aparece la identidad con un nombre propio o cuando hablamos de un familiar único:

● *¿Con quién está hablando Irene?*
❍ *Con* ***su*** *amiga Elvira.*

No solemos utilizar el posesivo cuando nos referimos a partes del propio cuerpo.

~~*Me duele* ***mi*** *brazo.*~~
Me duele ***el*** *brazo.*

~~*¿Te has cortado* ***tu*** *pelo?*~~
¿Te has cortado ***el*** *pelo?*

Tampoco solemos usar los posesivos cuando nos referimos a cosas de las cuales se supone que solo poseemos una unidad o que, por el contexto, está muy claro de quién son.

~~*No sé dónde he puesto* ***mi*** *mochila.*~~
No sé dónde he puesto ***la*** *mochila.*

PRONOMBRES PERSONALES

PRONOMBRES SUJETO

Los pronombres sujeto son:

yo		
tú		**usted**
él	**ella**	
nosotros	**nosotras**	
vosotros	**vosotras**	**ustedes**
ellos	**ellas**	

Recuerda que, en español, la marca de la persona está en el verbo. Por eso, muchas veces no es necesario el pronombre sujeto.

*Estudi**o** español y alemán.* (**-o** = yo)
*He**mos** ido al cine.* (**-emos** = nosotros)

Pero, en algunos casos, los pronombres son necesarios.

- Cuando hay un contraste de diferentes informaciones sobre diferentes sujetos:
  ● ***Nosotros** estudiamos español. ¿Y **vosotras**?*
  ❍ ***Yo** estudio francés y **ellas** estudian alemán.*

- Cuando nos identificamos o identificamos a alguien:
  ● *¿Carman Mora, por favor?*
  ❍ *Soy **yo**.*

- Cuando hay una posible ambigüedad:
  *¿Cuántos años tiene **él**?* (no **ella**)

TÚ / USTED

Para tratar con formalidad al interlocutor, usamos **usted** / **ustedes**, que se combinan con los verbos en 3ª persona, como **él** / **ella** y **ellos** / **ellas**.

Si eres una persona joven, lo normal es utilizar **usted** o **ustedes** con todos los adultos desconocidos (un camarero, un policía, una persona en la calle...). En España, los chicos y las chicas suelen utilizar **tú** o **vosotros** para dirigirse a los profesores.

***Perdone**, ¿**sabe** si hay una farmacia cerca de aquí? (usted)*
*Profe, ¿**puedes** repetir la última frase, por favor?* (vosotros)

En la mayoría de países latinoamericanos no se usa **vosotros**. Casi siempre se usa **ustedes**.

En Argentina, en Uruguay y en algunas otras zonas, en lugar de **tú** se usa **vos**. Además, los tiempos verbales que acompañan a la persona **vos** se conjugan de manera diferente. En algunos casos, la última sílaba se convierte en tónica:

***Vos hablás** muy bien el español. ¿Lo **estudiás** en el colegio?*

PRONOMBRES CON PREPOSICIÓN

Con las preposiciones (**para**, **de**, **a**, **sin**...) usamos los siguientes pronombres:

PRONOMBRES SUJETO	PREPOSICIÓN + PRONOMBRES
yo	**para mí**
tú	**ti**
él / ella / usted	**él / ella / usted**
nosotros / nosotras	**nosotros / nosotras**
vosotros / vosotras	**vosotros / vosotras**
ellos / ellas / ustedes	**ellos / ellas / ustedes**

*Este regalo ¿es **para mí** o **para ti**?*

La preposición **con** es un caso especial, ya que forma una sola palabra con los pronombres de 1ª y 2ª persona del singular.

PRONOMBRES SUJETO	CON + PRONOMBRES
yo	**conmigo**
tú	**contigo**
él / ella / usted	**con él / ella / usted**
nosotros / nosotras	**con nosotros / nosotras**
vosotros / vosotras	**con vosotros / vosotras**
ellos / ellas / ustedes	**con ellos / ellas / ustedes**

● *Papá, ¿puedo ir **contigo** de viaje?*
❍ *No, tú tienes que ir al cole.*

PRONOMBRES DE COMPLEMENTO DIRECTO

El CD (complemento directo) es la cosa o la persona sobre la que se realiza la acción del verbo. Como en muchas lenguas, cuando ya sabemos a qué sustantivo nos referimos, porque queda claro por el contexto, este se sustituye por un pronombre:

PRONOMBRES SUJETO	PRONOMBRES DE CD
yo	**me**
tú	**te**
él / ella / usted	**lo / la**
nosotros / nosotras	**nos**
vosotros / vosotras	**os**
ellos / ellas / ustedes	**los / las**

● *¿Dónde has escuchado la historia "Perdidos en el bosque"?*
❍ ***La** he escuchado en clase de Español.*

Si el tema principal de la frase es el CD, lo ponemos al principio y añadimos el pronombre correspondiente.

*La historia "Perdidos en el bosque" **la** puedes encontrar en internet.*

Si el pronombre de CD hace referencia a una persona de género masculino y número singular, se acepta también el uso de **le**.

● *¿Has visto a Roberto últimamente?*
❍ *Sí, **lo** vi el lunes en el colegio, en clase de Música.*
*(= **le** vi el lunes)*

PRONOMBRES DE COMPLEMENTO INDIRECTO

PRONOMBRES SUJETO	PRONOMBRES DE CI
yo	**me**
tú	**te**
él / ella / usted	**le**
nosotros / nosotras	**nos**
vosotros / vosotras	**os**
ellos / ellas / ustedes	**les**

El (CI) complemento indirecto es la persona o personas destinatarios de la acción de un verbo. En español muy frecuentemente se duplica el CI: aparece el CI y su pronombre correspondiente.

*Los cómics **le** gustan **a mi madre**.*
(le = Pron. CI; a mi madre = CI)

Cuando el tema principal de la frase es el CI, lo ponemos al principio y añadimos el pronombre correspondiente delante del verbo.

***A mi madre** **le** gustan los cómics.*
(A mi madre = CI; le = Pronombre de CI)

PRONOMBRES REFLEXIVOS (ME / TE / SE)

Algunos verbos, los llamados reflexivos, van siempre con los pronombres **me** / **te** / **se** / **nos** / **os** / **se**.

PRONOMBRES	ALGUNOS VERBOS
me	quedo
te	llamas
se	baña
nos	vestimos
os	enfadáis
se	llevan bien

*Mi hermana **se llama** Natalia Domingo.*

*Mamá, **nos quedamos** un poco más, ¿vale?*

Cuando una acción se realiza sobre el propio sujeto usamos los verbos reflexivos.

*Yo siempre **me baño** por la noche y, después, mi madre **baña** a mi hermana.*

Cuando el CD es una parte del propio cuerpo o es ropa del sujeto también se usa la forma reflexiva.

*Héctor, ¿**te has lavado** los dientes?*
*¿No **te pones** la chaqueta?*

Verbos nuevos con la serie de pronombres **me** / **te** / **se** / **nos** / **os** / **se**:

ENFADARSE (alguien con alguien)
***Me he enfadado** con la profesora.*
*¿Vosotros nunca **os enfadáis**?*
*Mis padres **se enfadan** si llego tarde.*

PREOCUPARSE (alguien por algo / alguien)
*Ismael **se preocupa** mucho por las notas.*
*Mis padres siempre **se preocupan** por mí.*

LLEVARSE BIEN / MAL (alguien con alguien)
***Me llevo** muy bien con mi hermano pequeño.*
*Mi prima Elena y yo **nos llevamos** mal.*

PONERSE nervioso / contento...
***Me pongo** muy contento cuando llueve.*
*¿**Te has puesto** nerviosa en la obra de teatro?*

PRONOMBRES ME / TE / LE

Hay bastantes verbos que se combinan siempre con los pronombres de CI.

PRONOMBRES	ALGUNOS VERBOS
me	gusta
te	duele
le	interesa
nos	encanta
os	cae bien / mal
les	pasa (algo)

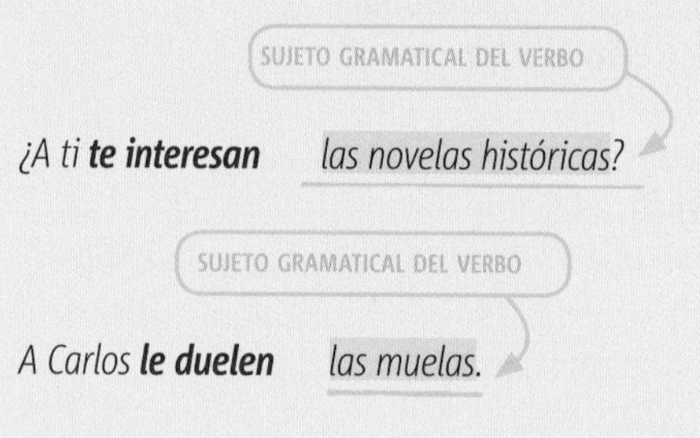

*¿A ti **te interesan** las novelas históricas?*

*A Carlos **le duelen** las muelas.*

Verbos nuevos con la serie de pronombres **me** / **te** / **le** / **nos** / **os** / **les**:

CAERLE BIEN / MAL (alguien a alguien)
*El nuevo profesor **nos ha caído** (muy) bien.*
*¿Qué tal **le** cae Eva a Nicolás?*

PASARLE (algo a alguien)
- *¿Qué **le pasa** a Ainara?*
- *No lo sé, pero está muy rara.*

*Un día **me pasó** una cosa muy divertida. ¿Quieres que te la cuente?*

POSICIÓN DE LOS PRONOMBRES

Los pronombres normalmente se colocan delante del verbo.

*A Ignacio no **lo** he visto hoy.*

Si hay dos pronombres, uno de CI y otro de CD, el orden es: CI + CD

*Me encanta este disco. ¿**Me lo** prestas?*

Cuando los dos pronombres son de tercera persona, **le** se convierte en ***se***.

*¿Qué hago con los bombones? ¿**Se los** doy a Montse o a Aitor?*

Con imperativo afirmativo, los pronombres de CD, de CI y los reflexivos se colocan detrás del verbo.

*Déme**lo**.*
*Cómpra**las**. Son bonitas.*
*Ayúda**nos** un momento, por favor.*
*Queda**os** un poco más. Es pronto.*

Con las perífrasis, los pronombres pueden ir delante del verbo conjugado o detrás del infinitivo o del gerundio.

ESTAR + **gerundio**
- *¿Has leído el correo de Nicolás?*
- *No, **estoy leyéndolo** ahora.*
- *No, **lo** estoy **leyendo** ahora.*

IR A + **infinitivo**
- *No, **voy a leerlo** ahora.*
- *No, **lo voy a leer** ahora.*

TENER QUE + **infinitivo**
- *¿**Tengo que** leer**lo**?*
- *¿**Lo tengo que** leer?*

PREPOSICIONES Y LOCUCIONES PREPOSICIONALES

REFERENCIAS ESPACIALES	
A	**ir a** Sevilla / México / ... *Francia está **al** norte de España.*
DE	vengo **del** instituto plátanos **de** Canarias
DE... A	***De** mi casa **a** la escuela voy en metro.*
DE... A / DESDE... HASTA	*Ha ido **de** Copenhague **a** Sevilla en autostop.* *Ha ido **desde** Copenhague **hasta** Sevilla en autostop.*
EN	quedarse **en** casa / la ciudad / ... estar **en** casa / Alemania / ... *Granada está **en** el sur de España.*
CERCA / LEJOS DE	vivir **cerca** / **lejos de** la escuela
ENTRE	*Madrid está **entre** Zaragoza y Granada.*
HACIA	*Toma el autobús **hacia** el centro y bájate en la tercera parada.*
HASTA	*Toma el autobús **hasta** la plaza de Castilla y allí pregunta por el Ayuntamiento.*
POR	*Vamos a dar una vuelta **por** el parque.* *Siempre paso **por** tu calle cuando voy al colegio.*

REFERENCIAS ESPACIALES	
ENCIMA DE	*Tu libro está **encima de** la mesa.*
DEBAJO DE	*Tu libro está **debajo de** la mesa. Se ha caído.*
AL LADO DE	*Me siento **al lado de** Alberto.*
JUNTO A	*La farmacia está **junto a** mi casa.*

REFERENCIAS TEMPORALES	
A	**a** las tres de la tarde **a** los 25 años
EN	**en** verano / Navidad / ...
POR	**por** la mañana / tarde / noche
DESDE	**desde** los cinco años **desde** el año 1977
DE... A / DESDE...HASTA	***De** Navidad **a** Reyes no tenemos colegio.* ***Desde** Navidad **hasta** Reyes no tenemos colegio.*

OTROS USOS	
A con CI o con CD de persona	*¿Por qué no se lo das **a** Esther?* *Estoy buscando **a** Paco.*
CON	ir / estar / vivir / ... **con** Mario una habitación **con** ventanas
DE	unos pendientes **de** oro un amigo **de** Eva las diez **de** la mañana una película **de** miedo
EN	ir **en** coche / tren / avión / ...
PARA	un libro **para** mi primo una cosa **para** escribir estudiar **para** aprobar
SOBRE	leer **sobre** un tema hablar **sobre** alguien
CONTRA	jugar **contra** otro equipo
CON / SIN	una cámara **con** zoom un ratón **sin** cable

Con algunos verbos las preposiciones son obligatorias.

tener ganas **de**	***Tengo ganas de** ver esta película.*
convertirse **en**	***Se ha convertido en** un actor muy famoso.*
dedicarse **a**	*Es una fundación que **se dedica a** cuidar animales abandonados.*
empezar **a**	***Empecé a** estudiar español hace dos años.*
aprender **a**	*Elisa **aprendió a** andar a los nueve meses.*

INDICADORES ESPACIALES

aquí / allí
a mi / tu / su / ... lado
arriba / abajo
encima (de) / debajo (de)
a la derecha (de) / a la izquierda (de)
cerca (de) / lejos (de)

● *Perdone, ¿hay alguna parada de autobús por aquí?*
❍ *Sí, hay una **cerca**. Está **allí**, **a la izquierda de**l quiosco.*

● *¿Quién vive en el piso de **arriba**?*
❍ *Una pareja joven.*

COMPARATIVOS Y SUPERLATIVOS

CON ADJETIVOS

*Alba es **más** alta **que** su hermana.*
*Alba es **menos** habladora **que** su hermana.*

MÁS BUENO/-A, MÁS MALO → MEJOR, PEOR
*Este disco es **mejor** / **peor que** este.*
*Este disco es **el mejor** / **peor de** los tres.*

Para elegir entre cosas distintas: **lo mejor**.

● *¿Qué le regalamos?*
❍ *¿Una pulsera o unos pendientes? No sé...*
■ ***Lo mejor** es una camiseta original.*

MÁS GRANDE → MAYOR
Para tamaño: *La camiseta verde es **más grande** que la roja.*
Para la edad: *Teo es **mayor** que Tomás y que Juan. Teo es **el mayor** (de los tres chicos).*

MÁS PEQUEÑO/-A → MENOR
Para tamaño: *La camiseta roja es **más pequeña** que la verde.*
Para la edad: *Edu es **menor** que David y Paco. Edu es **el menor** (de los tres chicos).*

CON VERBOS

*Vanessa estudia **más que** Gabriela.*
*Gabriela estudia **menos que** Vanessa.*
*Iván es **el mayor**, pero Roberto es **el más alto**.*

EL MISMO / OTRO

Este año tenemos
***el mismo** colegio.*
***la misma** directora.*
***los mismos** compañeros.*
***las mismas** actividades extraescolares.*

Este año tenemos
***otro** profesor.*
***otra** clase.*
***otros** monitores.*
***otras** asignaturas.*

GRADATIVOS Y CUANTIFICADORES

CON NOMBRES

Poco, **bastante**, **suficiente**, **mucho** y **demasiado** concuerdan en género y en número con el sustantivo al que acompañan.

MASCULINO SINGULAR	FEMENINO SINGULAR
poco trabajo **mucho** trabajo **demasiado** ruido	**poca** gente **mucha** gente **demasiada** gente
MASCULINO PLURAL	**FEMENINO PLURAL**
pocos alumnos **muchos** amigos **demasiados** coches	**pocas** clases **muchas** flores **demasiadas** patatas
MASCULINO Y FEMENINO SINGULAR	**MASCULINO Y FEMENINO PLURAL**
bastante trabajo / gente **suficiente** tiempo / comida	**bastantes** deberes / amigas **suficientes** colegios / horas de clase

un poco de miel = una pequeña cantidad

CON ADJETIVOS

No... nada, **bastante**, **muy** y **demasiado** son invariables cuando van con un adjetivo.

*Esta novela **no** es **nada** interesante.*
*Esta novela es **bastante** interesante.*
*Esta novela es **muy** interesante.*
*Esta novela es **demasiado** difícil.*

Un poco solo se combina con cualidades negativas.
*Es **un poco** aburrido / pesado / difícil...*

CON VERBOS

No... nada, **bastante**, **mucho** y **demasiado** son invariables cuando van con un verbo.

*Javi **no** estudia **nada**.*
Javi estudia
poco.
bastante.
mucho.
demasiado.

*Javi no estudia **lo suficiente**.*

ALGÚN/O/A..., NINGÚN/O/A...

● *¿Hay **algún** chico nuevo este año en tu clase?*
❍ *No, **no** hay **ningún** chico nuevo.*
*No, **no** hay **ninguno**.*

● *¿Hay **alguna** chica nueva?*
❍ *No, **no** hay **ninguna** chica nueva.*
*No, **no** hay **ninguna**.*

*Hay **algunos** chicos nuevos, cuatro o cinco.*
*Hay **algunas** chicas nuevas, cuatro o cinco.*

algo = alguna cosa
*¡Cuidado! ¡Tienes **algo** en el ojo!*
*Tenemos que comprar **algo** para cenar.*

alguien = alguna persona **nadie** = ninguna persona

IMPERSONALIDAD CON SE

*El español **se** habla en muchos países.*
*A las fiestas de cumpleaños **se** lleva un regalo.*

RELATIVAS

Es una ciudad.
Tiene tres millones de habitantes.

*Es una ciudad **que** tiene tres millones de habitantes.*

*Es una ciudad **donde** viven tres millones de personas.*
*Es una ciudad **en la que** viven tres millones de personas.*
*Es un pueblo **en el que** viven menos de 100 personas.*

INTERROGATIVAS

*¿**Quién** es?*
*¿**Quiénes** son?*

*¿**Dónde** están los servicios?*
*¿**Adónde** vas a ir el domingo?*

*¿**Cómo** fuiste al cine? ¿En metro?*
*¿**Cómo** se llamaba la película?*

*¿**Cuánto** te costó la entrada?*
*¿**Cuánta** gente había?*
*¿**Cuántos** coches de bomberos viste?*
*¿**Cuántas** ambulancias vinieron?*

*¿**Cuándo** empezaste a oler el humo?*

*¿**Por qué** se desmayó Isabel?*

*¿**Qué** recuerdas de todo eso?*

*¿**Cuál** es tu superhéroe favorito?*
*¿**Cuáles** son tus películas preferidos?*

En preguntas con preposición, esta se sitúa antes de la partícula interrogativa.

- *¿**En** qué cine están?*
- *○ **En** uno que hay en su barrio.*

- *¿**De** qué se conocen?*
- *○ **Del** colegio.*

- *¿**De** dónde venía Isabel?*
- *○ **De** su casa.*

- *¿**Con** quién se encontraron?*
- *○ **Con** nadie.*

MARCADORES TEMPORALES

PARA HABLAR DEL PASADO

***A los** 14 meses* | *empecé a hablar.*
De muy pequeño

*Aprendió a tocar el violín **de niño**.*

***En 1999** nos fuimos a vivir a Portugal. **Desde entonces** solo vamos a España en vacaciones.*

***El día** 15 **de** septiembre empezaron las clases en el instituto.*

***El día** 12 **de** octubre **de** 1492 Colón llegó a América.*

***En el siglo** VIII los árabes llegaron a España.*

*Te llamo esta semana, **entre** el miércoles **y** el viernes.*

***Durante** varios años, la cadena de televisión no tuvo publicidad.*

PARA RELACIONAR EL PRESENTE CON EL PASADO O CON EL FUTURO

***Todavía no** hemos reducido bastante los residuos.*

***Hasta ahora** se ha apuntado muy poca gente.*

Actualmente ya | *existe la posibilidad de clonar humanos.*
Ahora (ya)

dentro de ... años / días / horas / minutos / poco tiempo /...
*No sé dónde estaré **dentro de** 15 años.*

PARA HABLAR DEL FUTURO

***Cuando sea mayor** viajaré mucho.*
***De mayor** viajaré mucho.*
*No sé dónde estaré **a los** 30 **años**.*
*¿Crees que **pronto** va a ser normal viajar al espacio?*

ADVERBIOS EN -MENTE

Forma femenina del adjetivo + **mente**

rápid**a** → rápida**mente**
inmediat**a** → inmediata**mente**
silencios**a** → silenciosa**mente**
total → total**mente**

Muchos de estos adverbios sirven para expresar el modo en que se realiza una acción:

*Se acercó **lentamente**.*
*Me sonrió **amablemente**.*

LOS VERBOS

PARA HABLAR DEL PRESENTE

PRESENTE DE INDICATIVO

Para hablar de acciones actuales o habituales.

***Tengo** muchos amigos.*
*Siempre **vamos** a la playa en vacaciones.*

ESTAR + GERUNDIO

Cuando queremos presentar una acción en su desarrollo:

*Raúl, déjame en paz. **Estoy haciendo** los deberes.*
Raúl, déjame en paz. Hago los deberes.

PARA HABLAR DEL PASADO

Para hablar del pasado, en español podemos usar varios tiempos.
Vamos a aprender su uso poco a poco.

Usamos:		Ejemplo:	Se usa frecuentemente con:
PRETÉRITO PERFECTO	Para hablar del pasado sin informar de cuándo se ha realizado una acción.	*¿**Has pensado** alguna vez en cómo será el mundo dentro de unos años?*	nunca alguna vez
	Para hablar de un pasado que presentamos en relación con el momento presente.	*Hoy **he hablado** con mis padres en el desayuno sobre el cambio climático.* *Este año también **ha subido** el nivel del mar.*	hoy esta mañana, esta tarde... esta semana este mes este año estas vacaciones en su vida (si sigue viviendo)
PRETÉRITO INDEFINIDO	Para situar una acción pasada con una fecha o para situarla en un momento concreto sin relación con el presente.	*El martes **me compré** un libro y ayer lo **acabé** de leer.* *El año pasado me **regalaron** una tableta.*	ayer el domingo, el lunes / ... el día 2 / el día de Navidad / ... la semana pasada el mes pasado el año pasado en su vida (si ya no vive)
PRETÉRITO IMPERFECTO	Para hacer descripciones situadas en un tiempo pasado.	*En la época de mis abuelos no **había** plástico.*	antes en la época de... de niño/-a / pequeño/-a / joven
	Para describir acciones habituales en el pasado.	*Yo antes **pasaba** el aspirador en casa, ahora lo hace un robot.*	antes cuando de vez en cuando
	Evocar las circunstancias en un relato: las acciones se expresan en pretérito indefinido o perfecto y la situación en la que se producen se expresa en imperfecto.	● *¿Por qué no viniste ayer?* ○ *Es que **estaba** enfermo.* ***Era** una noche muy tranquila. No **había** nadie en la calle. De pronto, se oyó un ruido misterioso.*	en ese tiempo en esa época aquel día / tarde / noche / mes / año...

IMPERFECTO DE ESTAR + GERUNDIO

Referirnos al contexto de un suceso pasado aludiendo a otra acción, que presentamos en su desarrollo con el imperfecto de **estar** + gerundio.

ESTAR	GERUNDIO
estaba estabas estaba estábamos estabais estaban	trabajando comiendo saliendo

● *Y cuando llegó tu padre, ¿qué **estabais haciendo**?*
○ *Pues **estábamos bailando** en el salón.*
○

PARA HABLAR DEL FUTURO

FUTURO IMPERFECTO

Recuerda que el futuro se forma con el Infinitivo del verbo y las terminaciones -é, -ás, -á, -emos, -éis, -án.

FORMAS REGULARES

PENSAR	COMER	VIVIR
pensar**é**	comer**é**	vivir**é**
pensar**ás**	comer**ás**	vivir**ás**
pensar**á**	comer**á**	vivir**á**
pensar**emos**	comer**emos**	vivir**emos**
pensar**éis**	comer**éis**	vivir**éis**
pensar**án**	comer**án**	vivir**án**

*De mayor, **seré** profesor y **me casaré** con Camila.*

ALGUNAS FORMAS CON LA RAÍZ IRREGULAR

decir → diré/-ás/-á...
haber → habré/-ás/-á...
hacer → haré/-ás/-á...
poder → podré/-ás/-á...
poner → pondré/-ás/-á...
querer → querré/-ás/-á...
saber → sabré/-ás/-á...
salir → saldré/-ás/-á...
tener → tendré/-ás/-á...
venir → vendré/-ás/-á...

IR A + INFINITIVO

Para relacionar una acción futura con el momento en el que hablamos o para referirnos a una intención o proyecto.

*Luego **voy a ir** a comprar el pan.*
*Mañana **voy a llamar** a mis primos.*

Se usa especialmente cuando queremos relacionar una acción futura con el momento en el que hablamos o para referirnos a una intención o a un proyecto.

*Este verano **voy a viajar** por Andalucía.*

En muchas de las variantes del español de Latinoamérica y de algunas zonas de España es más frecuente el uso de **ir a** + infinitivo que el del futuro imperfecto, tenga o no relación la acción futura con el presente.

*Yo **voy a ser** profesor, como mi padre.*

PRESENTE

Cuando presentamos la acción futura como el resultado de una decisión.

*¿**Vienes** con nosotros mañana?*

EL IMPERATIVO

FORMAS REGULARES

	COMPRAR	BEBER	VIVIR
(tú)	compr**a**	beb**e**	viv**e**
(usted)	compr**e**	beb**a**	viv**a**
(vosotros/-as)	compr**ad**	beb**ed**	viv**id**
(ustedes)	compr**en**	beb**an**	viv**an**

ALGUNAS FORMAS IRREGULARES

	VENIR	HACER	PONER
(tú)	**ven**	**haz**	**pon**
(usted)	**venga**	**haga**	**ponga**
(vosotros/-as)	**venid**	**haced**	**poned**
(ustedes)	**vengan**	**hagan**	**pongan**

	IR	SABER	DECIR	SALIR
(tú)	**ve**	**sé**	**di**	**sal**
(usted)	**vaya**	**sea**	**diga**	**salga**
(vosotros/-as)	**id**	**sed**	**decid**	**salid**
(ustedes)	**vayan**	**sean**	**digan**	**salgan**

USOS DEL IMPERATIVO

Para dar instrucciones.
***Reduce** el consumo de plásticos y **reutiliza** todo lo posible.*

Para dar consejos.
***Olvídate** de eso y **céntrate** en tus estudios.*

Para pedir acciones, en un registro familiar o de forma poco cortés.
*¡**Ven, corre, mira** esto!*

Se usa también el imperativo en algunas fórmulas muy frecuentes.

- Para entregar algo:
  Toma / Tome — ***Toma**, te dejo mi bici.*
  Ten / Tenga — ***Tenga,** sus entradas.*

- Para captar la atención:
  Oye / Oiga... — ***Oye,** ¿en qué consiste tu invento?*
  Perdona / Perdone... — ***Perdone**, ¿me deja pasar?*

Para introducir una explicación:

Mira / Mire... *Mire, si sigue recto se encontrará de frente con la catedral.*

Oye / Oiga... *Oye, ¿dónde has aparcado la bici?*

EL CONDICIONAL

El Condicional se forma con el Infinitivo del verbo y las terminaciones **-ía**, **-ías**, **-ía**, **-íamos**, **-íais**, **-ían**.

FORMAS REGULARES

HABLAR	LEER	IR
hablar**ía**	leer**ía**	ir**ía**
hablar**ías**	leer**ías**	ir**ías**
hablar**ía**	leer**ía**	ir**ía**
hablar**íamos**	leer**íamos**	ir**íamos**
hablar**íais**	leer**íais**	ir**íais**
hablar**ían**	leer**ían**	ir**ían**

ALGUNAS FORMAS CON LA RAÍZ IRREGULAR

INFINITIVO	CONDICIONAL
decir	diría
haber	habría
hacer	haría
poder	podría
poner	pondría

Usamos el condicional para expresar deseos.

- ● ***Me gustaría*** *visitar Nueva York.*
- ○ *Yo **preferiría** ir a San Francisco.*

Para evocar situaciones imaginarias.

*Yo nunca **iría** de vacaciones a la Antártida.*

Para sugerir soluciones o para hacer propuestas.

Deberíamos *ir a ver a los abuelos.*
Habría que *gastar menos agua.*
Podríamos *ir al cine, ¿no?*

CONSTRUCCIONES IMPERSONALES

SE + VERBO EN 3ª PERSONA

*En clase no **se puede** comer.*
Se pone *aceite y, luego, un poco de cebolla.*
*En este zoo **se ven** pingüinos, osos, leones...*

VERBO EN 2ª PERSONA

*En Vigo **puedes** hacer excursiones, te **puedes** bañar...*
Pones *aceite y, luego, un poco de cebolla.*

PERÍFRASIS

Las perífrasis son construcciones verbales que se forman con dos verbos: uno conjugado (que cambia su significado habitual) y otro en forma no personal (Infinitivo o Gerundio).

PARA EXPRESAR OBLIGACIÓN Y PROHIBICIÓN

DEBER + infinitivo
*El Estado **debe proteger** a los ciudadanos.*

NO DEBER + infinitivo
*Los niños **no deben acostarse** tarde.*

TENER QUE + infinitivo
Tenemos que consumir *más alimentos frescos.*

HAY QUE + infinitivo
Hay que ponerse *mucha crema solar.*

PARA EXPRESAR INICIO

EMPEZAR A + infinitivo
Empezó a nevar *cuando salían del cine.*

PARA EXPRESAR INTERRUPCIÓN

DEJAR DE + infinitivo
*Emilio, **deja de ver** la tele y ponte a estudiar.*

PARA EXPRESAR CONTINUIDAD

SEGUIR + gerundio
*¿**Sigue trabajando** en la misma empresa?*

SER Y ESTAR

USOS DE SER

Para identificar:
*Mi primo **es** ese.*
Estos *los animales en peligro de extinción.*

Para hablar de cualidades permanentes:
*El Parque Nacional Yasuní **es** un parque del Ecuador.*
*Bilbao **es** una ciudad muy bonita.*

USOS DE ESTAR

Para localizar algo:
*Bariloche **está** en Argentina.*
*Los tomates **están** en la nevera.*

Para hablar de características temporales:
*Hoy Enrique **está** muy guapo.*
Estás *morena. ¿Has ido a la playa?*
*No sé qué le pasa a Eva. **Está** muy antipática.*

- Para hablar del resultado de una acción:
  *Este boli **está** estropeado.*
  *Esta planta **está** muerta.*
  *La puerta de la calle **está** abierta.*

- Para estados físicos y psíquicos:
  ***Estoy** cansada.*
  *La gata **está** enferma.*
  *¿**Estás** contenta con las notas?*

- Con **bien (buen)** / **mal**:
  *Este libro **está** muy **bien**.*
  *Enrique ya **está bien**; salió el martes del hospital.*
  *Esto **está mal**: trece más nueve son veintidós.*
  *Dicen que hoy el director **está de buen** humor.*

ORACIONES RELATIVAS CON PREPOSICIÓN

Había una vez un rey. + Al rey le gustaba mucho vestir bien.
*Había una vez un rey al **que** le gustaba mucho vestir bien.*

*Mira, este es el hotel en **el que** estaremos en Ibiza.*
*Esta es la calle por **la que** paso cada día para ir al instituto.*
*Hay una cesta en **la que** hay que meter el balón.*
*Es un deporte para **el que** hay que estar en muy buena forma.*
*Esa es la terminal de **la que** salen los vuelos internacionales.*
*Tengo unos zapatos con **los que** te quedaría muy bien este vestido.*
*Hay tres bibliotecas a **las que** puedes ir en domingo.*
*El avión desde **el que** se tiraron los paracaidistas volaba a 3000 metros.*

EL QUE / QUIEN

el que / la que / los que / las que

***El que** empieza tiene que hacer preguntas.*
*Ganan **los que** adivinan primero la palabra.*
quienes

Quien / **quienes** se utiliza solo para seres humanos.
*La fiesta es el lunes. Puedes invitar a **quien** quieras.*

RECURSOS PARA LA COMUNICACIÓN

CONTROL DE LA COMUNICACIÓN

*¿**Cómo se pronuncia** Alhambra?*
*¿**Cómo se escribe** Zaragoza?*
¿Tu apellido se escribe con dos erres?
*¿**Cómo se dice*** pollution ***en español**?*
*¿**Qué significa*** contaminación*?*
*¿**Cómo se llama esto en español**?*
*¿**En qué página está** el resumen gramatical?*
*¿**Me lo puedes repetir**, por favor?*
*¿**Cómo**? / ¿**Cómo dices**?*
*¿**Puedes escribirlo** en la pizarra?*
*¿**Puedes repetirlo**?*
*¿**Puedes explicarlo** otra vez?*
*¿**Cuál es la diferencia entre** algún **y** ningún?*
*¿**Dónde lleva el acento** "ojalá"?*
*¿**Me dejas** el diccionario?*
*¿**Qué es** un cóndor?*
*¿**Sabes cómo se juega** al parchís?*

VALORAR ACTIVIDADES

*He estado en la montaña este fin de semana; **lo he pasado muy bien**.*
***Me encantó** Italia, estuve el verano pasado.*
***No me gusta mucho** salir por la noche. Prefiero el día.*
*Mi hermana y yo **lo pasamos muy bien** charlando durante horas.*

● *¿**Qué has hecho** este fin de semana?*
❍ ***No he hecho nada especial.***
***Me he aburrido** un poco.*

● *¿**Dónde has estado** este año?*
❍ ***He pasado** una semana **en Almería.***
***Hemos hecho un viaje** a Egipto.*
***Hemos estado** en la Costa del Sol.*

HABLAR DEL CARÁCTER

*Laura **es un poco** despistada.*
*Tus padres **son muy** simpáticos.*
***Es una persona muy** responsable y **muy** ordenada.*
*Yo **tengo mal carácter** y a veces **me enfado por** tonterías.*

HABLAR DE ESTADOS DE ÁNIMO

● *¿**Qué le pasa** a Silvia?*
❍ *Que **está** muy **contenta** porque ha aprobado el curso.*
❍ *Que **está enfadada** con su hermano.*
❍ *Que **se ha puesto triste** por lo de su abuela.*

● *Hoy **estoy** un poco **cansada**, no sé por qué.*
❍ *Pues yo **estoy** muy **bien**, tengo mucha energía.*

HABLAR DE CAMBIO Y DE CONTINUIDAD

***He dejado de** ir a danza, ahora voy a música.*
*Ahora **empiezan a gustarnos** otras cosas.*
*Ramón **se ha convertido en** un chico muy estudioso.*
*Yo **sigo comprando** libros en papel.*

RECOMENDACIONES IMPERSONALES

(No) Hay que... ***Va muy bien...*** ***Es bueno...*** ***Es necesario...*** ***Es recomendable...*** ***Es importante...***	*dormir ocho horas al día.*
No hay que... ***No es bueno...*** ***Es malo...***	*dormir demasiado poco.*

PEDIR CONSEJOS

*¿Qué **puedo hacer**...* *¿Qué **tengo que hacer**...* *¿Qué **debo hacer**...* *¿Qué **es lo mejor**...*	*para aprender español?*

DAR CONSEJOS Y RECOMENDACIONES

***Lo mejor que puedes hacer** es leer mucho.*
***Tienes que** ver películas.*
***Debes** leer mucho y también hablar.*
***Va muy bien** tener un compañero de intercambio.*
***Es importante** conocer la cultura de los países hispanos.*
***No debes preocuparte**, seguro que te irá bien.*
***Si hablas**, **aprenderás** mucho español.*
***Lee** mucho, **así aprenderás** mucho español. Ya verás.*

EXPRESAR PROHIBICIÓN, PERMISO Y OBLIGACIÓN

***No se puede** cantar.*
***No podemos** entrar con comida.*
***Está prohibido** aparcar.*

***Se puede** entrar.*
***Podemos** trabajar con el diccionario.*
***Está permitido** consultar el libro.*

***He de ir** a casa de mis abuelos.*
***Tienes que** llamar a tus padres.*
***Debéis** llegar puntuales al teatro.*

REACCIONAR ANTE UN RELATO

● *Y entonces él se fue muy enfadado.*
○ *¡Qué fuerte!*
¡Qué bien!
¡Qué suerte!
¡Qué mala suerte!
¡Qué horror!
¡Qué pena!
¡No me digas!
¡Anda!
¿Y qué pasó luego?
Y entonces, ¿qué hiciste?
Ah, ¿sí?
¿Se fue enfadado?

DAR INFORMACIÓN CON DIFERENTES GRADOS DE SEGURIDAD

***Creo que** estudiaré Química.*
***Supongo que** me casaré algún día.*
***Seguramente** iré a Ibiza en verano.*
***No sé si** me casaré o no.*
***No sé si** me casaré, **depende** de si encuentro a la persona adecuada.*

HABLAR DE CONDICIONES

***Si** consumimos demasiada agua, muy pronto **tendremos** sequía.*
***Si** no estudias no **aprobarás** este examen.*

DESCRIBIR E IDENTIFICAR UN LUGAR

*Es un lugar **muy bonito**.*
*Es una isla **preciosa**.*

*Es un pueblo **de montaña**.*
*Es un pueblo **de pescadores**.*

*Es una región **con muchos lagos**.*
*Es una ciudad **con mucha vida nocturna**.*

SITUAR EN UN LUGAR

*Ushuaia **está en el sur** (de Argentina).*
*Francia **está al norte** de España.*
*Lima **está a unos** 1000 km **de** Cusco.*
*La Paz es una ciudad que **está lejos del** mar.*
*Barranquilla **está en la costa** de Colombia.*
*Canarias es la provincia **con** más islas de España.*

HABLAR DE LA DISTANCIA

¿Cuántos kilómetros hay entre Ávila y Vigo?
Está a (unos) 35 km de aquí.
Está (muy / bastante) lejos.
Está (muy / bastante) cerca.

HABLAR DE LA DURACIÓN

*Estuve **varios días** en Madrid.*
*He pasado **un tiempo** en el extranjero.*
*He estado viajando **durante** dos semanas.*
***Desde** el lunes **hasta** el jueves estaré en León.*

*¿**Cuánto hace que** conoces a Julia?*
*¿**Hace mucho que** sales con Iván?*

***Hace** 10 años.*
***Hace** tres meses **que** la conozco.*
***Hace** mucho que **nos** conocemos.*

CONECTORES

PARA ORGANIZAR UN RELATO
Para empezar...
Una vez...
Un día...
El otro día...

PARA CONECTAR
(Y) entonces...

PARA TERMINAR
Al final...
Total, que...
O sea que...

- ***Una vez**, estaba yo en la playa con mi novio y del agua salió una tortuga gigante. Nos acercamos y **entonces** se metió otra vez en el agua.*
- ❍ ***O sea que** no la pudiste tocar.*
- *Pues no...*

PARA REFORMULAR
Es decir...
O sea...

PARA PEDIR CONFIRMACIÓN DE UNA INFORMACIÓN U OPINIÓN
*Es muy bonito, **¿verdad?***
*Es tu hermano, **¿no?***

PARA AÑADIR INFORMACIONES
*Es muy caro, (y) **además**, no me gusta mucho.*
*Le llamé, le escribí. **Incluso** le mandé un correo electrónico.*

PARA ORDENAR Y CONTRASTAR ARGUMENTOS
En primer / segundo / ... lugar...
Por una parte...
Por otra parte...
Por un lado...
Por otro lado...
Por último...

PARA HABLAR DE LA CAUSA
Esto es debido a (que)
Esto se debe a (que)...
Esto es así porque...

PARA EXPRESAR CONSECUENCIAS
Por eso,...
Por tanto,...
Por lo que...

*En verano, el consumo de energía en esta zona es insostenible. **Es decir**, consumimos más energía de la que podemos producir. Las causas del problema son dos: **por una parte**, la población aumenta considerablemente en esta época del año **por lo que** el consumo es mayor, y, **por otra parte**, los canales para hacer llegar la energía a la zona son insuficientes. **Por eso**, algunos políticos proponen la construcción de una nueva línea de alta tensión.*

PEDIR LA OPINIÓN

¿Qué piensas / opinas sobre...?
¿Tú crees que...?
¿Tú qué piensas / opinas sobre...?
¿A ti qué te parece...?
Y tú, ¿cómo lo ves?
Y tú, ¿estás de acuerdo (con esto)?

EXPRESAR PUNTOS DE VISTA Y ARGUMENTOS

EXPONER
***Yo pienso que** los amigos se deben conservar para toda la vida.*
***Yo creo que** gestionar bien el tiempo para estudiar y divertirse es importante.*
***A mí me parece que** tendríamos que ser más honestos.*
***Para mí** lo más importante es ser buena persona.*

REPLICAR (EXPRESANDO ACUERDO O DESACUERDO)
***Creo que tienes razón con** lo que dices.*
***Yo no estoy nada de acuerdo con** Laura.*
***Yo lo veo como** ella.*
***Es verdad que** somos casi adultos, pero...*
***En parte estoy de acuerdo**, pero...*

HACER VALORACIONES
*¿**Qué te parece** no poder salir del aula durante un examen?*

A mí me parece...	bien / mal justo / injusto normal / extraño ...

Yo creo que...	está bien / mal es justo / injusto es normal / extraño ...

***Me parece mal** no poder preguntar al profesor.*

VERBOS REGULARES

PRESENTE	PRETÉRITO PERFECTO verbo **haber** + participio*		PRETÉRITO INDEFINIDO	PRETÉRITO IMPERFECTO	IMPERATIVO AFIRMATIVO
INFINITIVO: ESTUDIAR	GERUNDIO: ESTUDI**ANDO** | PARTICIPIO: ESTUDI**ADO**				
estudi**o**	he	estudi**ado**	estudi**é**	estudi**aba**	
estudi**as**	has	estudi**ado**	estudi**aste**	estudi**abas**	estudi**a**
estudi**a**	ha	estudi**ado**	estudi**ó**	estudi**aba**	estudi**e**
estudi**amos**	hemos	estudi**ado**	estudi**amos**	estudi**ábamos**	
estudi**áis**	habéis	estudi**ado**	estudi**asteis**	estudi**abais**	estudi**ad**
estudi**an**	han	estudi**ado**	estudi**aron**	estudi**aban**	estudi**en**
INFINITIVO: COMER	GERUNDIO: COM**IENDO** | PARTICIPIO: COM**IDO**				
com**o**	he	com**ido**	com**í**	com**ía**	
com**es**	has	com**ido**	com**iste**	com**ías**	com**e**
com**e**	ha	com**ido**	com**ió**	com**ía**	com**a**
com**emos**	hemos	com**ido**	com**imos**	com**íamos**	
com**éis**	habéis	com**ido**	com**isteis**	com**íais**	com**ed**
com**en**	han	com**ido**	com**ieron**	com**ían**	com**an**
INFINITIVO: VIVIR	GERUNDIO: VIV**IENDO** | PARTICIPIO: VIV**IDO**				
viv**o**	he	viv**ido**	viv**í**	viv**ía**	
viv**es**	has	viv**ido**	viv**iste**	viv**ías**	viv**e**
viv**e**	ha	viv**ido**	viv**ió**	viv**ía**	viv**a**
viv**imos**	hemos	viv**ido**	viv**imos**	viv**íamos**	
viv**ís**	habéis	viv**ido**	viv**isteis**	viv**íais**	viv**id**
viv**en**	han	viv**ido**	viv**ieron**	viv**ían**	viv**an**

*** PARTICIPIOS IRREGULARES**

abrir → **abierto**	escribir → **escrito**	ir → **ido**	romper → **roto**
cubrir → **cubierto**	freír → **frito / freído**	morir → **muerto**	ver → **visto**
decir → **dicho**	hacer → **hecho**	poner → **puesto**	volver → **vuelto**

VERBOS IRREGULARES

PRESENTE	PRETÉRITO INDEFINIDO	PRETÉRITO IMPERFECTO	IMPERATIVO AFIRMATIVO
CAER GERUNDIO: **CAYENDO** | PARTICIPIO: **CAÍDO**			
caigo	caí	caía	
caes	caíste	caías	cae
cae	**cayó**	caía	**caiga**
caemos	caímos	caíamos	
caéis	caísteis	caíais	caed
caen	**cayeron**	caían	**caigan**
CONOCER GERUNDIO: **CONOCIENDO** | PARTICIPIO: **CONOCIDO**			
conozco	conocí	conocía	
conoces	conociste	conocías	conoce
conoce	conoció	conocía	**conozca**
conocemos	conocimos	conocíamos	
conocéis	conocisteis	conocíais	conoced
conocen	conocieron	conocían	**conozcan**
DAR GERUNDIO: **DANDO** | PARTICIPIO: **DADO**			
doy	**di**	daba	
das	**diste**	dabas	da
da	**dio**	daba	**dé**
damos	**dimos**	dábamos	
dais	**disteis**	dabais	dad
dan	**dieron**	daban	den
DECIR GERUNDIO: **DICIENDO** | PARTICIPIO: **DICHO**			
digo	**dije**	decía	
dices	**dijiste**	decías	**di**
dice	**dijo**	decía	**diga**
decimos	**dijimos**	decíamos	
decís	**dijisteis**	decíais	decid
dicen	**dijeron**	decían	**digan**
DORMIR GERUNDIO: **DURMIENDO** | PARTICIPIO: **DORMIDO**			
duermo	dormí	dormía	
duermes	dormiste	dormías	**duerme**
duerme	**durmió**	dormía	**duerma**
dormimos	dormimos	dormíamos	
dormís	dormisteis	dormíais	dormid
duermen	**durmieron**	dormían	**duerman**
ESTAR GERUNDIO: **ESTANDO** | PARTICIPIO: **ESTADO**			
estoy	**estuve**	estaba	
estás	**estuviste**	estabas	**está**
está	**estuvo**	estaba	**esté**
estamos	**estuvimos**	estábamos	
estáis	**estuvisteis**	estabais	estad
están	**estuvieron**	estaban	**estén**
HABER GERUNDIO: **HABIENDO** | PARTICIPIO: **HABIDO**			
he	**hubo**	había	
has	**hubiste**	habías	
ha / hay*	**hubo**	había	
hemos	**hubimos**	habíamos	
habéis	**hubisteis**	habíais	* forma impersonal
han	**hubieron**	habían	

PRESENTE	PRETÉRITO INDEFINIDO	PRETÉRITO IMPERFECTO	IMPERATIVO AFIRMATIVO
HACER GERUNDIO: **HACIENDO** | PARTICIPIO: **HECHO**			
hago	**hice**	hacía	
haces	**hiciste**	hacías	**haz**
hace	**hizo**	hacía	**haga**
hacemos	**hicimos**	hacíamos	
hacéis	**hicisteis**	hacíais	haced
hacen	**hicieron**	hacían	**hagan**
INCLUIR GERUNDIO: **INCLUYENDO** | PARTICIPIO: **INCLUIDO**			
incluyo	incluí	incluía	
incluyes	incluiste	incluías	**incluye**
incluye	**incluyó**	incluía	**incluya**
incluimos	incluimos	incluíamos	
incluís	incluisteis	incluíais	incluid
incluyen	**incluyeron**	incluían	**incluyan**
IR GERUNDIO: **YENDO** | PARTICIPIO: **IDO**			
voy	**fui**	**iba**	
vas	**fuiste**	**ibas**	**ve**
va	**fue**	**iba**	**vaya**
vamos	**fuimos**	**íbamos**	
vais	**fuisteis**	**ibais**	id
van	**fueron**	**iban**	**vayan**
JUGAR GERUNDIO: **JUGANDO** | PARTICIPIO: **JUGADO**			
juego	**jugué**	jugaba	
juegas	jugaste	jugabas	**juega**
juega	jugó	jugaba	**juegue**
jugamos	jugamos	jugábamos	
jugáis	jugasteis	jugabais	jugad
juegan	jugaron	jugaban	**jueguen**
MOVER GERUNDIO: **MOVIENDO** | PARTICIPIO: **MOVIDO**			
muevo	moví	movía	
mueves	moviste	movías	**mueve**
mueve	movió	movía	**mueva**
movemos	movimos	movíamos	
movéis	movisteis	movíais	moved
mueven	movieron	movían	**muevan**
OIR GERUNDIO: **OYENDO** | PARTICIPIO: **OÍDO**			
oigo	oí	oía	
oyes	oíste	oías	**oye**
oye	**oyó**	oía	**oiga**
oímos	oímos	oíamos	
oís	oísteis	oíais	oíd
oyen	**oyeron**	oían	**oigan**
PENSAR GERUNDIO: **PENSANDO** | PARTICIPIO: **PENSADO**			
pienso	pensé	pensaba	
piensas	pensaste	pensabas	**piensa**
piensa	pensó	pensaba	**piense**
pensamos	pensamos	pensábamos	
pensáis	pensasteis	pensabais	pensad
piensan	pensaron	pensaban	**piensen**

VERBOS IRREGULARES

PERDER GERUNDIO: **PERDIENDO** | PARTICIPIO: **PERDIDO**

PRESENTE	PRETÉRITO INDEFINIDO	PRETÉRITO IMPERFECTO	IMPERATIVO AFIRMATIVO
pierdo	perdí	perdía	
pierdes	perdiste	perdías	**pierde**
pierde	perdió	perdía	**pierda**
perdemos	perdimos	perdíamos	
perdéis	perdisteis	perdíais	perded
pierden	perdieron	perdían	**pierdan**

PODER GERUNDIO: **PUDIENDO** | PARTICIPIO: **PODIDO**

PRESENTE	PRETÉRITO INDEFINIDO	PRETÉRITO IMPERFECTO	IMPERATIVO AFIRMATIVO
puedo	**pude**	podía	
puedes	**pudiste**	podías	**puede**
puede	**pudo**	podía	**pueda**
podemos	**pudimos**	podíamos	
podéis	**pudisteis**	podíais	poded
pueden	**pudieron**	podían	**puedan**

PONER GERUNDIO: **PONIENDO** | PARTICIPIO: **PUESTO**

PRESENTE	PRETÉRITO INDEFINIDO	PRETÉRITO IMPERFECTO	IMPERATIVO AFIRMATIVO
pongo	**puse**	ponía	
pones	**pusiste**	ponías	**pon**
pone	**puso**	ponía	**ponga**
ponemos	**pusimos**	poníamos	
ponéis	**pusisteis**	poníais	poned
ponen	**pusieron**	ponían	**pongan**

QUERER GERUNDIO: **QUERIENDO** | PARTICIPIO: **QUERIDO**

PRESENTE	PRETÉRITO INDEFINIDO	PRETÉRITO IMPERFECTO	IMPERATIVO AFIRMATIVO
quiero	**quise**	quería	
quieres	**quisiste**	querías	**quiere**
quiere	**quiso**	quería	**quiera**
queremos	**quisimos**	queríamos	
queréis	**quisisteis**	queríais	quered
quieren	**quisieron**	querían	**quieran**

REIR GERUNDIO: **RIENDO** | PARTICIPIO: **REÍDO**

PRESENTE	PRETÉRITO INDEFINIDO	PRETÉRITO IMPERFECTO	IMPERATIVO AFIRMATIVO
río	reí	reía	
ríes	reíste	reías	**ríe**
ríe	**rió**	reía	**ría**
reímos	reímos	reíamos	
reís	reísteis	reíais	reíd
ríen	**rieron**	reían	**rían**

SABER GERUNDIO: **SABIENDO** | PARTICIPIO: **SABIDO**

PRESENTE	PRETÉRITO INDEFINIDO	PRETÉRITO IMPERFECTO	IMPERATIVO AFIRMATIVO
sé	**supe**	sabía	
sabes	**supiste**	sabías	sabe
sabe	**supo**	sabía	**sepa**
sabemos	**supimos**	sabíamos	
sabéis	**supisteis**	sabíais	sabed
saben	**supieron**	sabían	**sepan**

SALIR GERUNDIO: **SALIENDO** | PARTICIPIO: **SALIDO**

PRESENTE	PRETÉRITO INDEFINIDO	PRETÉRITO IMPERFECTO	IMPERATIVO AFIRMATIVO
salgo	salí	salía	
sales	saliste	salías	**sal**
sale	salió	salía	**salga**
salimos	salimos	salíamos	
salís	salisteis	salíais	salid
salen	salieron	salían	**salgan**

SENTIR GERUNDIO: **SINTIENDO** | PARTICIPIO: **SENTIDO**

PRESENTE	PRETÉRITO INDEFINIDO	PRETÉRITO IMPERFECTO	IMPERATIVO AFIRMATIVO
siento	sentí	sentía	
sientes	sentiste	sentías	**siente**
siente	sintió	sentía	**sienta**
sentimos	sentimos	sentíamos	
sentís	sentisteis	sentíais	sentid
sienten	sintieron	sentían	**sientan**

SER GERUNDIO: **SIENDO** | PARTICIPIO: **SIDO**

PRESENTE	PRETÉRITO INDEFINIDO	PRETÉRITO IMPERFECTO	IMPERATIVO AFIRMATIVO
soy	**fui**	**era**	
eres	**fuiste**	**eras**	**sé**
es	**fue**	**era**	sea
somos	**fuimos**	**éramos**	
sois	**fuisteis**	**erais**	**sed**
son	**fueron**	**eran**	sean

SERVIR GERUNDIO: **SIRVIENDO** | PARTICIPIO: **SERVIDO**

PRESENTE	PRETÉRITO INDEFINIDO	PRETÉRITO IMPERFECTO	IMPERATIVO AFIRMATIVO
sirvo	serví	servía	
sirves	serviste	servías	**sirve**
sirve	**sirvió**	servía	**sirva**
servimos	servimos	servíamos	
servís	servisteis	servíais	servid
sirven	**sirvieron**	servían	**sirvan**

TENER GERUNDIO: **TENIENDO** | PARTICIPIO: **TENIDO**

PRESENTE	PRETÉRITO INDEFINIDO	PRETÉRITO IMPERFECTO	IMPERATIVO AFIRMATIVO
tengo	**tuve**	tenía	
tienes	**tuviste**	tenías	**ten**
tiene	**tuvo**	tenía	**tenga**
tenemos	**tuvimos**	teníamos	
tenéis	**tuvisteis**	teníais	tened
tienen	**tuvieron**	tenían	**tengan**

TRAER GERUNDIO: **TRAYENDO** | PARTICIPIO: **TRAÍDO**

PRESENTE	PRETÉRITO INDEFINIDO	PRETÉRITO IMPERFECTO	IMPERATIVO AFIRMATIVO
traigo	**traje**	traía	
traes	**trajiste**	traías	trae
trae	**trajo**	traía	**traiga**
traemos	**trajimos**	traíamos	
traéis	**trajisteis**	traíais	traed
traen	**trajeron**	traían	**traigan**

VENIR GERUNDIO: **VINIENDO** | PARTICIPIO: **VENIDO**

PRESENTE	PRETÉRITO INDEFINIDO	PRETÉRITO IMPERFECTO	IMPERATIVO AFIRMATIVO
vengo	**vine**	venía	
vienes	**viniste**	venías	**ven**
viene	**vino**	venía	**venga**
venimos	**vinimos**	veníamos	
venís	**vinisteis**	veníais	venid
vienen	**vinieron**	venían	**vengan**

VER GERUNDIO: **VIENDO** | PARTICIPIO: **VISTO**

PRESENTE	PRETÉRITO INDEFINIDO	PRETÉRITO IMPERFECTO	IMPERATIVO AFIRMATIVO
veo	vi	**veía**	
ves	viste	**veías**	ve
ve	vio	**veía**	vea
vemos	vimos	**veíamos**	
veis	visteis	**veíais**	ved
ven	vieron	**veían**	vean

MI VOCABULARIO

MI VOCABULARIO ESENCIAL

En este glosario encontrarás las palabras más importantes de las unidades traducidas al inglés, al francés y al portugués según el contexto en el que se encuentran en el libro.

En la primera parte encontrarás las palabras ordenadas por unidades y, a continuación, E*Mi vocabulario A-Z*, las mismas palabras ordenadas alfabéticamente.

Todos los nombres en español van acompañados por el artículo determinado (masculino y/o femenino) y por la forma femenina, si la tienen. Los nombres que se usan en plural llevan el artículo plural.

Los verbos se presentan siempre en infinitivo. Las irregularidades de los verbos en presente de indicativo se indican de las siguientes formas: *(g), (i), (ie), (ue), (y), (zc)*. Los verbos con distintos tipos de irregularidad llevan un asterisco *(*)*. Las irregularidades debidas a la adecuación a las normas ortográficas no se marcan.

Abreviaturas (solo aparecen en caso de ambigüedad):

adj.	*adjetivo*
adv.	*adverbio*
conj.	*conjunción*
f.	*femenino*
pl.	*plural*

1. MIS AMIGOS Y YO

	ENGLISH	FRANÇAIS	PORTUGUÊS
Sandra y sus amigos			
no me importa	I don't mind	ça ne me gêne pas	não me importo
empollón/a	swot / geek	bûcheur/-euse	CDF
mayor que	older than	plus âgé/e que	maior que
tratar como	to treat like	traiter comme	tratar como
a menudo	often / a lot	souvent	com frequência
1. ¿Cómo soy?			
personalidad, la	personality	personnalité, la	personalidade, a
equilibrado/-a	balanced	équilibré/e	equilibrado/-a
sensible	sensitive	sensible	sensível
tranquilo/-a	calm	tranquille	tranquilo/-a
noble *(adj.)*	noble / kind	noble *(adj.)*	nobre
soñador/a	dreamer	rêveur/-euse	sonhador/a
estado de ánimo, el	mood	état d'esprit, l'	estado de ânimo, o
triste	sad	triste	triste
seguro/-a	sure / confident	sûr/e	seguro/-a
estilo, el	style	style, le	estilo, o
realista	realistic / realist	réaliste	realista
excelente	excellent	excellent/e	excelente
alegre	happy	joyeux/-euse	alegre
activo/-a	active	actif/ive	ativo/-a
imaginativo/-a	imaginative	imaginatif/-ive	criativo/-a
participar en	to participate / take part in	participer à	participar de
curiosidad, la	curiosity	curiosité, la	curiosidade, a
loco/-a	mad / crazy	fou / folle	louco/-a
2. Caracteres muy diferentes			
nervioso/-a	nervous	nerveux/-euse	nervoso/-a
desagradable	unpleasant	désagréable	desagradável
irresponsable	irresponsible	irresponsable	irresponsável
inseguro/-a	insecure	peu sûr/e de soi	inseguro/-a
expresar los sentimientos	to express (one's) feelings	exprimer les sentiments	expressar os sentimentos
enfado, el	anger	colère, la	chateação, a

	ENGLISH	FRANÇAIS	PORTUGUÊS
preocuparse por	to be worried about	s'inquiéter de / pour	preocupar-se por
HABLAR DE ESTADOS DE ÁNIMO			
ponerse nervioso/-a	to get into a state / to get nervous	s'énerver	ficar nervoso/-a
enfadarse	to get angry	se fâcher	ficar chateado/-a
¿qué te pasa?	what's wrong	qu'est-ce qu'il t'arrive ?	o que está acontecendo com você?
DESCRIBIR EL CARÁCTER			
responsable	responsible	responsable	responsável
independiente	independent	indépendant/e	independente
llevar la iniciativa	to take the initiative	prendre l'initiative	ter a iniciativa
tener buen / mal carácter	to be bad tempered / good natured	avoir bon / mauvais caractère	ter bom / mau gênio
tener sentido del humor	to have a sense of humour	avoir le sens de l'humour	ter sentido do humor
3. Nosotros los adolescentes			
adolescencia, la	adolescence	adolescence, l'	adolescência, a
ocurrir	to happen	se passer, survenir	acontecer
separarse de	to separate from	se séparer de	separar-se de
protector/a, el / la	protector	protecteur/-trice, le / la	protetor/a, o / a
modelo, el / la	model	modèle, le / la	modelo, o / a
integrarse	to become integrated	s'intégrer	integrar-se
identidad, la	identity	identité, l'	identidade, a
emoción, la	emotion	émotion, l'	emoção, a
cambio de humor, el	mood swing	changement d'humeur, le	mudança de humor, a
curioso/-a	curious	curieux/-euse	curioso/-a
impaciente	impatient	impatient/e	impaciente
inmediato/-a	immediate	immédiat/e	imediato/-a
autoridad, la	authority	autorité, l'	autoridade, a
respeto, el	respect	respect, le	respeito, o
autoestima, la	self-esteem	estime de soi, l'	autoestima, a
vergonzoso/-a	shy / timid	honteux/-euse	tímido/-a
idealista	idealist	idéaliste	idealista
referente, el	model / guide	référence, la	referente, o
profundo/-a	deep	profond/e	profundo/-a
búsqueda, la	search	recherche, la	pesquisa, a
cuestionar	to question	questionner, contester	questionar
4. El consultorio de la doctora Esperanza			
llorar	to cry	pleurer	chorar
espejo, el	mirror	miroir, le	espelho, o
deberías	you should	tu devrais	deveria
HABLAR DE CAMBIOS			
convertirse en *(ie)*	to turn into	devenir	transformar-se em
dejar de	to stop	arrêter de	deixar de
empezar *(ie)* **a**	to start	commencer à	começar a
opinión, la	opinion	opinion, l'	opinião, a
EXPRESAR ACUERDO Y DESACUERDO			
estar de acuerdo con	to agree with	être d'accord avec	estar de acordo com
PERMISO: DEJAR / NO DEJAR			
dejar (dar permiso)	to allow (give permission)	laisser (donner la permission)	deixar (autorizar)
consola, la	(games) console	console, la	console, a
5. La mejor amiga de Isaac			
tener celos de	to be jealous (of)	être jaloux/-ouse de	ter ciúme de
maduro/-a	mature	mûr/e	maduro/-a
estar harto/-a	to be fed up (with)	en avoir assez	estar cansado/-a
infantil	childish	infantile	infantil
inmaduro/-a	immature	immature	imaturo/-a

MI VOCABULARIO ESENCIAL

	ENGLISH	FRANÇAIS	PORTUGUÊS
tonto/-a	silly	idiot/e	bobo/-a
salir *(g)* **con**	to go out with	sortir avec	sair com
mejor amigo/-a, el / la	best friend	meilleur/e ami/e, le / la	melhor amigo/-a, o / a
celoso/-a	jealous	jaloux/-ouse	ciumento/-a
relación, la	relationship	relation, la	relação, a
6. Un amigo de verdad			
perfecto/-a	perfect	parfait/e	perfeito/-a
defecto, el	imperfection	défaut, le	defeito, o
amistad, la	friendship	amitié, l'	amizade, a
perdonar	to forgive	pardonner	perdoar
aceptar	to accept	accepter	aceitar
servir *(i)* **para**	to be used for	servir à	servir para
RELACIONES PERSONALES			
llevarse bien / mal	to get on well / badly	s'entendre bien / mal	dar-se bem / mal
caer(le) bien / mal	to like / dislike	trouver quelqu'un sympathique / antipathique	ir com a cara / não ir com a cara
PALABRAS Y REGLAS			
estar de buen / mal humor	to be in a good mood / bad mood	être de bonne / mauvaise humeur	estar de bom / mau humor
regalar	give as a present	offrir	dar de presente
LA REVISTA			
acosador/a, el / la	bully	harceleur/-euse, le / la	assédiador/a, o / a
acoso escolar, el	bullying	harcèlement scolaire, le	assédio escolar, o
cicatriz, la	scar	cicatrice, la	cicatriz, a
consecuencia, la	consequence	conséquence, la	consequência, a
convivir	to coexist	cohabiter	conviver
oscuridad, la	darkness	obscurité, l'	escuridão, a
parecido/-a	similar	semblable	parecido/-a
ser broma	to be a joke	être une blague	ser brincadeira
tener razón	to be right	avoir raison	ter razão
tranquilidad, la	peace	tranquillité, la	tranquilidade, a
tristeza, la	sadness	tristesse, la	tristeza, a
NUESTRO PROYECTO			
atrevido/-a	daring	audacieux/-euse	atrevido/-a
comparar	to compare	comparer	comparar
molestar	to bother / to disturb	déranger	incomodar
2. ¿QUÉ PASÓ?			
excusa, la	excuse	excuse, l'	desculpa, a
traer *(*)*	to bring	apporter	trazer
coger	to take	prendre	pegar
tener tiempo	to have time	avoir le temps	ter tempo
anoche	last night	hier soir	à noite
tener fiebre	to have a temperature	avoir de la fièvre	ter febre
seño, la	Miss *(colloquial)*	Madame *(langage courrant)*	tia
1. Supertoño			
encontrarse *(ue)*	to meet	se trouver	encontrar-se
entrada, la	entrance	entrée, l'	entrada, a
palomitas, las *(pl.)*	popcorn	pop-corn, le	pipocas, as
de pronto	suddenly	tout à coup	de repente
explosión, la	explosion	explosion, l'	explosão, a
rápidamente	quickly	rapidement	rapidamente
llenarse de	to fill up with	se remplir de	encher de
humo, el	smoke	fumée, la	fumaça, a
caerse *(*)*	to fall	tomber	cair
a partir de	from	à partir de	a partir de
recordar *(ue)*	to remember	rappeler, se rappeler	lembrar

	ENGLISH	FRANÇAIS	PORTUGUÊS
apagar	to switch off / to put out	éteindre	desligar
rodear	to surround	entourer	rodear
sentarse *(ie)*	to sit (down)	s'asseoir	sentar-se
totalmente	totally	totalement	totalmente
arder	to burn	brûler	arder
completamente	completely	complètement	completamente
2. Los detalles de la historia			
pasar (algo)	to happen (something)	se passer / arriver	acontecer (algo)
notar	to notice	remarquer	notar
tener miedo	to be scared	avoir peur	ter medo
terrible	terrible	terrible	terrível
bombero/-a, el / la	firefighter	pompier, le	bombeiro/-a, o / a
ambulancia, la	ambulance	ambulance, l'	ambulância, a
médico/-a, el / la	doctor	médecin, le	médico/-a, o / a
periodista, el / la	journalist	journaliste, le / la	jornalista, o / a
periódico, el	newspaper	journal, le	jornal, o
INDEFINIDO E IMPERFECTO			
estar lleno/-a	to be full	être plein/e	estar cheio/-a
emocionante	exciting	excitant/e	emocionante
3. ¡Qué horror!			
sentirse *(ie)*	to feel	se sentir	sentir-se
protagonista, el / la	the main character	personnage principal, le	protagonista, o / a
aproximadamente	approximately	approximativement	aproximadamente
pasar miedo	to be scared	avoir peur	ter medo
¿qué pasó?	what happened?	que s'est-il passé ?	o que aconteceu?
pedir ayuda	to ask for help	demander de l'aide	pedir ajuda
pasar(le) (algo a alguien)	to happen (something to someone)	arriver (quelque chose à quelqu'un)	acontecer (algo a alguém)
anochecer	to get dark	commencer à faire nuit	anoitecer
estar perdido/-a	to be lost	être perdu/e	estar perdido/-a
¡qué divertido!	what fun!	que c'est amusant !	que divertido!
comentar	to comment / to remark	commenter, faire un commentaire	comentar
exclamar	to exclaim	s'exclamer	exclamar
fantasma, el	ghost	fantôme, le	fantasma, o
ahora mismo	right now	tout de suite	agora mesmo
tener cobertura	to have cover / signal	avoir une couverture	ter cobertura
contestar	to answer	répondre	responder
gritar	to shout	crier	gritar
luz, la	light	lumière, la	luz, a
¡qué suerte!	how lucky!	quelle chance !	que sorte!
aislado/-a	isolated	isolé/e	isolado/-a
bruja, la	witch	sorcière, la	bruxa, a
acercarse a	to approach	s'approcher	aproximar-se a
despacio	slowly	doucement	devagar
extraño/-a	strange	étrange	estranho/-a
¡qué susto!	what a fright!	quelle peur !	que susto!
en fila	in a line	en file	em fila
de repente	suddenly	soudain	de repente
llover *(ue)*	to rain	pleuvoir	chover
grito, el	scream / cry	cri, le	grito, o
¡ayuda!	help!	au secours !	socorro!
¡qué daño!	that hurts!	quelle douleur !	que dor!
estar asustado/-a	to be frightened	être effrayé/e	estar assustado/-a
encantador/a	charming	charmant/e	encantador/a
VERBOS PARA INTRODUCIR DIÁLOGOS			
responder	to answer	répondre	responder

MI VOCABULARIO ESENCIAL

	ENGLISH	FRANÇAIS	PORTUGUÊS
PARA ORGANIZAR UN RELATO ESCRITO			
finalmente	finally	finalement	finalmente
al final	in the end	à la fin	no fim
4. ¿En serio?			
¡anda!	come on!	allez !	caramba!
¿de verdad?	really?	c'est vrai !	verdade?
¿en serio?	are you serious?	sérieusement ? sans blague ?	sério?
¡qué fuerte!	that's amazing!	c'est incroyable	nossa!
subir la nota	to get a higher grade	remonter sa note	subir a nota
¡qué bien!	great!	super	que bom!
¡seguro que sí!	of course!	c'est sûr !	com certeza!
sombra, la	shadow	ombre, l'	sombra, a
viejo/-a, el / la	old person	vieux/vieille, le / la	velho/-a, o / a
¡qué miedo!	how frightening / scary	quelle peur !	que medo!
¡excusas!	excuses!	excuses !	desculpas!
5. Pues a mí una vez...			
una vez	once	une fois	uma vez
grandes almacenes, los	department stores	grands magasins, les	shopping center, o
perderse *(ie)*	to get lost	se perdre	perder-se
sección, la	department	rayon, le	seção, a
darse cuenta	to realise	se rendre compte	perceber
total, que	in the end	bref, en résumé	no fim
PALABRAS Y REGLAS			
encantado/-a	haunted	ravi/e	encantado/-a
terrorífico/-a	terrifying	terrifiant/e	terrífico/-a
monstruo, el	monster	monstre, le	monstro, o
LA REVISTA			
verso, el	verse	vers, le	verso, o
noticia, la	news	nouvelle, la	notícia, a
orilla, la	shore	rivage, le	beira, a
ave, el	bird	oiseau, l'	ave, a
cuerpo, el	body	corps, le	corpo, o
media noche, la	midnight	minuit	meia noite, a
mano, la	hand	main, la	mão, a
balcón, el	balcony	balcon, le	varanda, a
asesino/-a, el / la	murderer	assassin, l'	assassino/-a, o / a
policía, la	police	police, la	polícia, a
pista, la	clue	piste, la	pista, a
crimen, el	crime	crime, le	crime, o
muerto/-a, el / la	dead person	mort/e, le / la	morto/-a, o / a
solitario/-a	solitary	solitaire	solitário/-a
cazar	to hunt	chasser	caçar
NUESTRO PROYECTO			
diálogo, el	dialogue	dialogue, le	diálogo, o
narrador/a, el / la	narrator	narrateur/-trice, le / la	narrador/a, o / a
3. UNA PAUSA PARA LA PUBLICIDAD			
¿Te gusta la publicidad?			
campaña, la	campaign	campagne, la	campanha, a
medio ambiente, el	environment	environnement, l'	meio ambiente, o
anuncio, el	advertisement (advert)	annonce, l'	anúncio, o
1. Publicidad al microscopio			
marca, la	brand	marque, la	marca, a
eslogan, el	slogan	slogan, le	slogan, o
logo(tipo), el	logo	logo(type), le	logo(tipo), o
público, el	audience	public, le	público, o

	ENGLISH	FRANÇAIS	PORTUGUÊS
manipular	to manipulate	manipuler	manipular
consumidor/a, el / la	consumer	consommateur/-trice, le / la	consumidor/a, o / a
sexista	sexist	sexiste	sexista
convencer	to convince	convaincre	convencer
2. Somos críticos			
publicidad, la	advertising	publicité, la	publicidade, a
mentira, la	lie	mensonge, le	mentira, a
educar	to educate	éduquer	educar
concienciar	to raise awareness	faire prendre conscience	conscientizar
influir *(y)*	to influence	avoir de l'influence	influir
sociedad, la	society	société, la	sociedade, a
peligroso/-a	dangerous	dangereux/-euse	perigoso/-a
intentar	to aim to	essayer	tentar
consumir	to consume	consommer	consumir
crítico/-a	judgemental	critique	crítico/-a
difundir	to spread	diffuser	difundir
solidaridad, la	solidarity	solidarité, la	solidariedade, a
reciclaje, el	recycling	recyclage, le	reciclagem, a
saludable	healthy	sain/e	saudável
propuesta, la	proposal / suggestion	proposition, la	proposta, a
influencia, la	influence	influence, l'	influência, a
denunciar	to report	dénoncer	denunciar
controlar	to control	contrôler	controlar
violento/-a	violent	violent/e	violento/-a
LA PUBLICIDAD			
cartel, el	poster	affiche, l'	cartaz, o
informar	to inform	informer	informar
engañar	to trick	tromper	enganar
3. El día de las lenguas			
poner *(g)* **(colocar)**	to put (to place)	mettre	pôr *(g)* (colocar)
apartar	set aside	écarter, retirer	separar
sujetar	to hold	tenir	segurar
dejar (poner)	to leave (to put)	laisser	deixar (pôr)
4. Un texto muy repetitivo			
organización, la	organisation	organisation, l'	organização, a
instrucciones, las *(pl.)*	instructions	instructions, les	instruções, as
encargado/-a, el / la	manager	chargé/e, le / la	encarregado/-a, o / a
comprobar *(ue)*	to check	vérifier	comprovar
funcionar	to work	fonctionner	funcionar
envolver *(ue)*	to wrap	envelopper	envolver
SITUAR EN EL ESPACIO			
pared, la	wall	mur, le	parede, a
techo, el	ceiling	plafond, le	teto, o
rincón, el	corner	coin, le	canto, o
ponerse (ropa)	to put on (clothes)	se mettre (des vêtements)	vestir (roupa)
dejar (prestar)	to loan (to lend)	laisser (prêter)	deixar (emprestar)
6. Hay que hablar español			
tirar (algo) al suelo	to throw (something) onto the ground	jeter quelque chose par terre	jogar (algo) no chão
recoger	to pick up	ramasser	recolher
estar prohibido	to be forbidden	être interdit	estar proibido
7. Normas para hacer exámenes			
norma, la	rule	norme, la	norma, a
examen, el	exam	examen, l'	exame, o
convocar	to announce	convoquer	convocar
calculadora, la	calculator	calculatrice, la	calculadora, a

	ENGLISH	FRANÇAIS	PORTUGUÊS
tener derecho a	to have the right to	avoir le droit de	ter direito a
revisión, la	review	révision, la	revisão, a
entrega, la	hand back (paper / exam)	remise, la	entrega, a
parecer(le) justo / injusto	to seem fair / unfair	sembler juste / injuste à quelqu'un	parecer(lhe) justo / injusto
EXPRESAR OBLIGACIÓN			
material, el	material(s)	matériau, le	material, o
llegar puntual	to be on time	être ponctuel/-uelle	ser pontual
ser obligatorio	to be obligatory	être obligatoire	ser obrigatório
EXPRESAR PROHIBICIÓN			
patines, los *(pl.)*	skates	patins, les	patins, os
PALABRAS Y REGLAS			
aparcar	to park	se garer	estacionar
pisar el césped	to walk on the grass	marcher sur la pelouse	pisar a grama
girar	to turn	tourner	virar
error, el	error	erreur, l'	erro, o
entender *(ie)*	to understand	comprendre	entender
cliente, el / la	customer	client/e, le / la	cliente, o / a
invitación, la	invitation	invitation, l'	convite, o
estricto/-a	strict	strict/e	severo/-a
circular	to ride around	circulaire	circular
acera, la	pavement	trottoir, le	calçada, a
LA REVISTA			
solidario/-a	voluntary	solidaire	solidário/-a
humanitario/-a	humanitarian	humanitaire	humanitário/-a
lanzar (una campaña)	to launch (a campaign)	lancer (une campagne)	lançar (uma campanha)
sensibilizar	to raise awareness	sensibiliser	sensibilizar
finalidad, la	purpose	finalité, la	finalidade, a
impulsar	to encourage	encourager	incentivar
aumentar	to increase	augmenter	aumentar
apoyo, el	support	soutien, le	apoio, o
afectar	to affect	affecter	afetar
detener *(g) (ie)*	to stop	arrêter	deter *(g)*
cambio climático, el	climate change	changement climatique, le	mudança climática, a
hielo, el	ice	glace, la	gelo, o
fomentar	to encourage / to promote	encourager, fomenter	promover
CANCIÓN			
muralla, la	wall	muraille, la	muralha, a
paloma, la	pigeon	colombe, la	pomba, a
rosa, la	rose	rose, la	rosa, a
serpiente, la	snake	serpent, le	serpente, a
LA PEÑA DEL GARAJE			
moda, la	fashion	mode, la	moda, a
EVALUACIÓN			
quieto/-a	still	calme	quieto/-a
quitarse las gafas	to take off one's glasses	enlever ses lunettes	tirar os óculos
sonreír *(*)*	to smile	sourire	sorrir
abandonar	to leave	abandonner	abandonar

4. ¿QUÉ SERÁ, SERÁ?

¿Cómo será nuestro futuro?

	ENGLISH	FRANÇAIS	PORTUGUÊS
gasolina, la	petrol	essence, l'	gasolina, a
planeta, el	planet	planète, la	planeta, o
enfermedad grave, la	serious illness	maladie grave, la	doença grave, a
curar	to cure	guérir	curar
desaparecer *(zc)*	to disappear	disparaître	desaparecer

	ENGLISH	FRANÇAIS	PORTUGUÊS
robot, el	robot	robot, le	robô, o
tarea doméstica, la	housework	tâche ménagère, la	tarefa doméstica, a
sostenible	sustainable	durable	sustentável
1. ¿Mi futuro? Depende...			
salida, la	exit / way out	sortie, la / débouché, le	saída, a
seguramente	probably	sûrement	com certeza
suponer que	to imagine / suppose that	supposer que	imaginar que
distinto/-a	different	distinct/e	diferente
casarse	to get married	se marier	casar
depende de	it depends on	ça dépend de	depende de
seguro que	certain that	il est sûr que	com certeza
no tener ni idea	to have no idea	n'en avoir aucune idée	não ter nem ideia
a lo mejor	maybe	peut-être	pode ser que sim
quizá	maybe / perhaps	peut-être	talvez
LA VIDA PROFESIONAL			
sanidad, la	health	santé, la	saúde, a
naturaleza, la	nature	nature, la	natureza, a
tecnología, la	technology	technologie, la	tecnologia, a
veterinario/-a, el / la	veterinarian / vet	vétérinaire, le / la	veterinário/-a, o / a
ingeniero/-a, el / la	engineer	ingénieur, le / la	engenheiro/-a, o / a
3. Si me protegéis, viviremos mejor			
polo, el	pole	pôle, le	polo, o
superficie, la	surface	superficie, la	superfície, a
producir *(zc)*	to produce	produire	produzir
gas, el	gas	gaz, le	gás, o
agujero, el	hole	trou, le	orifício, o
capa de ozono, la	ozone layer	couche d'ozone, la	camada de ozônio, a
4. Reducir, reutilizar, reciclar			
aumento, el	increase / rise	augmentation, l'	aumento, o
consumo, el	consumption	consommation, la	consumo, o
residuo, el	waste / rubbish	déchet, le	resíduo, o
bolsa de plástico, la	plastic bag	sac plastique, le	saco de plástico, o
tardar	to take (time)	tarder, mettre du temps	demorar
contaminación, la	pollution	pollution, la	poluição, a
tortuga, la	tortoise	tortue, la	tartaruga, a
animal marino, el	marine animal	animal marin, l'	animal marinho, o
industria, la	industry	industrie, l'	indústria, a
contaminante	pollutant	polluant/e	poluente
papel reciclado, el	recycled paper	papier recyclé, le	papel reciclado, o
fabricación, la	manufacture / production	fabrication, la	fabricação, a
perjudicar	to harm	nuire à	prejudicar
reciclar	to recycle	recycler	reciclar
disminuir *(y)*	to decrease	diminuer	diminuir (e)
hasta ahora	up to now	jusqu'à présent	até agora
calentamiento global, el	global warming	réchauffement mondial, le	aquecimento global, o
atmósfera, la	atmosphere	atmosphère, l'	atmosfera, a
desastre natural, el	natural disaster	catastrophe naturelle, la	desastre natural, o
especie, la	species	espèce, l'	espécie, a
HABLAR DEL MEDIO AMBIENTE			
desaparición, la	disappearance / extinction	disparition, la	desaparição, a
producción, la	production	production, la	produção, a
energía renovable, la	renewable energy	énergie renouvelable, l'	energia renovável, a
contaminar	to pollute	polluer	poluir
destruir *(y)*	to destroy	détruire	destruir (e)
destrucción, la	destruction	destruction, la	destruição, a

	ENGLISH	FRANÇAIS	PORTUGUÊS
MARCADORES TEMPORALES			
pronto	soon	bientôt	logo
dentro de	in	dans	dentro de
5. Inventos que cambiarán el mundo			
obtener	to obtain / to get	obtenir	obter
combustible, el	fuel	combustible, le	combustível, o
identificarse	to identify oneself	s'identifier	identificar-se
información, la	information	information, l'	informação, a
sistema, el	system	système, le	sistema, o
dispositivo, el	device	dispositif, le	dispositivo, o
tableta, la	tablet	tablette, la	tablet, o
aplicación, la	application	application, l'	aplicativo, o
invento, el	invention	invention, l'	invenção, a
impresora, la	printer	imprimante, l'	impressora, a
diseño, el	design	dessin, le / conception, la	desenho, o
chip, el	chip	puce, la	chip, o
cerebro, el	brain	cerveau, le	cérebro, o
contraseña, la	password	mot de passe, le	senha, a
investigación, la	research	recherche, la	pesquisa, a
llave, la	key	clé, la	chave, a
cajero automático, el	cash machine / ATM	guichet automatique, le	caixa eletrônico, o
envoltorio, el	package / wrapper	emballage, l'	embalagem, a
insecto, el	insect	insecte, l'	inseto, o
experimento, el	experiment	expérimentation, l'	experiência, a
aprovechar	to use	profiter	aproveitar
reducir *(zc)*	to reduce	réduire	reduzir
DESCRIBIR TECNOLOGÍA			
aparato, el	device	appareil, l'	aparelho, o
PALABRAS Y REGLAS			
monumento, el	monument	monument, le	monumento, o
ayuntamiento, el	town hall / city council	mairie, la	prefeitura, a
consultar	to look up / to consult	consulter	consultar
recargar	to charge (up)	recharger	recarregar
LA REVISTA			
reserva, la	reserve	réserve, la	reserva, a
riqueza, la	richness	richesse, la	riqueza, a
tener contacto con	to be in contact with	être en contact avec	ter contato com
iniciativa, la	initiative	initiative, l'	iniciativa, a
pesca, la	fishing	pêche, la	pesca, a
recuperación, la	recovery	récupération, la	recuperação, a
en peligro de extinción	at risk of extinction	en danger d'extinction	em perigo de extinção
parque natural, el	natural park	parc naturel, le	parque natural, o
caza, la	hunting	chasse, la	caça, a
LA PEÑA DEL GARAJE			
ser mono/-a	to be cute	être mignon/-onne	ser bonito/-a
tierno/-a	sweet	tendre	terno/-a
5 ¡NOS VAMOS DE VIAJE!			
pintoresco/-a	picturesque	pittoresque	pitoresco/-a
bandera, la	flag	drapeau, le	bandeira, a
ser una maravilla	to be marvellous	être une merveille	ser uma maravilha
bucear	to dive	plonger	mergulhar
caminar	to walk	marcher	caminhar
1. ¡Esto es fantástico!			
mensaje, el	message	message, le	mensagem, a
postal, la	postcard	carte postale, la	postal, a

	ENGLISH	FRANÇAIS	PORTUGUÊS
estar resfriado/-a	to have a cold	être enrhumé/e	estar resfriado/-a
¡qué aburrimiento!	how boring!	quel ennui !	que chatice!
lluvia, la	rain	pluie, la	chuva, a
aterrizar	to land	atterrir	aterrissar
disfrutar	to enjoy	profiter, passer du bon temps	aproveitar
esperar	to wait for	attendre	esperar
dar recuerdos	to give regards	envoyer ses amitiés	mandar lembranças
2. ¿A dónde has viajado?			
pasar (tiempo) en	to spend time (in)	passer du temps à	passar (tempo) em
pasarlo bien / mal	to have a good time / bad time	s'amuser / ne pas s'amuser	divertir-se / passar mal
3. ¿Has hecho alguna vez...?			
submarinismo, el	scuba diving	plongée sous-marine, la	mergulho, o
persona famosa, la	famous person	célébrité, la	pessoa famosa, a
MENSAJES			
enviar	to send	envoyer	enviar
recibir	to receive	recevoir	receber
colgar *(ue)* **(en internet)**	to post (on the Internet)	poster sur Internet	colocar (na Internet)
publicar (en internet)	to publish (on the Internet)	publier sur Internet	publicar (na Internet)
4. De viaje con la clase			
visitar	to visit	visiter	visitar
medio de transporte, el	means of transport	moyen de transport, le	meio de transporte, o
VIAJES Y PREPOSICIONES			
quedarse en	to meet at / in	rester	ficar em
reservar	to reserve	réserver	reservar
ruta, la	route	route, la	rota, a
a pie	on foot	à pied	a pé
volver *(ue)* **de**	to come back from	revenir	voltar de
a caballo	on horseback	à cheval	a cavalo
SITUAR UN LUGAR			
sur, el	south	sud, le	sul, o
norte, el	north	nord, le	norte, o
este, el	east	est, l'	leste, o
oeste, el	west	ouest, l'	oeste, o
6. ¿A dónde te gustaría ir?			
cueva, la	cave	grotte, la	cova, a
costa, la	coast	côte, la	costa, a
paisaje, el	landscape / scenery	paysage, le	paisagem, a
entorno, el	setting / surroundings	milieu, le	ambiente, o
bello/-a	beautiful	beau/belle	belo/-a
recorrer	to travel around	parcourir	percorrer
preparado/-a	prepared	préparé/e	preparado/-a
señalizado/-a	signposted	signalisé/e	sinalizado/-a
practicar	to practise	pratiquer	praticar
durar	to last	durer	durar
circular *(adj.)*	circular	circulaire	circular
pasar por	to go through	passer par	passar por
recorrido, el	route	parcours, le	percurso, o
opción, la	option	option, l'	opção, a
tapa, la	cover	couvercle, le	capa, a
alojamiento, el	accommodation	hébergement, l'	alojamento, o
casa rural, la	farmhouse accommodation	maison rurale, la	casa rural, a
itinerario, el	itinerary	itinéraire, l'	itinerário, o
barco de vela, el	sailing boat	bateau à voile, le	barco a vela, o

MI VOCABULARIO ESENCIAL

	ENGLISH	FRANÇAIS	PORTUGUÊS
escala, la	stopover	escale, l'	escala, a
incluir *(y)*	to include	inclure	incluir
alquiler, el	rental	location, la	aluguel, o
lago, el	lake	lac, le	lago, o
valle, el	valley	vallée, la	vale, o
pescador/a, el / la	fisherman / fisherwoman	pêcheur/euse, le / la	pescador/a, o / a
fábrica, la	factory	usine, l'	fábrica, a
taller, el	workshop	atelier, l'	oficina, a
PALABRAS Y REGLAS			
LUGARES			
departamento, el	department	département, le	departamento, o
provincia, la	province	province, la	estado, o
región, la	region	région, la	região, a
zona, la	zone	zone, la	zona, a
comunidad autónoma, la	autonomous community	communauté autonome, la	comunidade autônoma, a
sitio, el	place	site, le	lugar, o
EL CONDICIONAL			
preparar	to prepare	préparer	preparar
agencia (de viajes), la	travel agency	agence (de voyages), l'	agência (de viagem), a
tener planes	to have plans	avoir des plans	ter planos
LA REVISTA			
estrecho/-a	narrow	étroit/e	estreito/-a
longitud, la	length	longueur, la	longitude, a
frontera, la	border	frontière, la	fronteira, a
montañoso/-a	mountainous	montagneux/-euse	montanhoso/-a
archipiélago, el	archipelago	archipel, l'	arquipélago, o
estar desierto/-a	to be deserted	être désert/e	estar deserto/-a
economía, la	economy	économie, l'	economia, a
golpe de estado, el	coup d'état	coup d'État, le	golpe de estado, o
marginado/-a	marginalised / alienated	marginal/e	marginalizado/-a
comunicación, la	communication	communication, la	comunicação, a
construcción, la	construction	construction, la	construção, a
canal, el	canal	canal, le	canal, o
estatua, la	statue	statue, la	estátua, a
antepasados, los *(pl.)*	ancestors	ancêtres, les	antepassados, os
ancho, el	width	largeur, la	largura, a
macho, el	male	mâle, le	macho, o
hembra, la	female	femelle, la	fêmea, a
prevenir *(g) (ie)*	to prevent	prévenir	prevenir
protección, la	protection	protection, la	proteção, a
CANCIÓN			
caminante, el / la	walker	marcheur/-euse, le / la	caminhante, o / a
NUESTRO PROYECTO			
etapa, la	stage	étape, l'	etapa, a
presupuesto, el	budget	devis, le	orçamento, o
EVALUACIÓN			
protegerse de	to protect oneself from	se protéger de	proteger-se de
mosquito, el	mosquito	moustique, le	mosquito, o
extraordinario/-a	extraordinary	extraordinaire	extraordinário/-a
indígena, el / la	native	indigène, l'	indígena, o / a
regresar a	to return to	retourner, revenir à	voltar a

	ENGLISH	FRANÇAIS	PORTUGUÊS
6. LAS REGLAS DEL JUEGO			
¿Tú a qué jugabas?			
parchís, el	*Spanish board game similar to Ludo and Pachisi*	jeu de petits chevaux, le	*jogo de mesa espanhol*
disfrazarse	to dress up	se déguiser	fantasiar-se
superhéroe, el / superheroína, la	superhero / superheroine	superhéros, le / superhéroïne, la	super-herói, o super-heroína, a
pirata, el / la	pirate	pirate, le / la	pirata, o / a
peinar	to comb / to brush (hair)	peigner	pentear
jugar al escondite	to play hide and seek	jouer à cache-cache	brincar de esconde-esconde
jugar al pillapilla	to play tag	jouer à chat	brincar de pega-pega
manualidades, las *(pl.)*	crafts	travaux manuels, les	trabalhos manuais, os
1. Juegos de toda la vida			
indefinido/-a	unlimited	indéfini/e	indefinido/-a
jugador/a, el / la	player	joueur/-euse, le / la	jogador/a, o / a
columna, la	column	colonne, la	coluna, a
anotar	to note down	annoter	anotar
al azar	at random / randomly	hasard, le	aleatório
partida, la	game	partie, la	partida, a
copiar	to copy	copier	copiar
esconder	to hide	cacher	esconder
bolsillo, el	pocket	poche, la	bolso, o
puño, el	fist	poing, le	punho, o
adivinar	to guess	deviner	adivinhar
2. Los juegos y el español			
cooperar	to cooperate	coopérer	cooperar
competir *(i)*	to compete	participer, concourir	competir
individualmente	individually	individuellement	individualmente
parejas, las *(pl.)*	pairs	paires, les	pares, os
límite, el	limit	limite, la	limite, o
crucigrama, el	crossword	mots croisés, les	palavras cruzadas, as
JUEGOS DE MESA			
acertar	to get (it) right	trouver, réussir	acertar
dado, el	dice	dé, le	dado, o
ficha, la	counter	fiche, la	ficha, a
tablero, el	board	damier, le	tabuleiro, o
tarjeta, la	card	carte, la	cartão, o
tocar(le) (el turno)	to be (someone's) turn	être le tour de	ser a vez
3. ¿Jugamos demasiado con videojuegos?			
juego de mesa, el	board game	jeu de société, le	jogo de mesa, o
era digital, la	digital age	ère numérique, l'	era digital, a
atontado/-a	scatterbrained	abruti/e	tonto/-a
experiencia, la	experience	expérience, l'	experiência, a
estimular	to stimulate	stimuler	estimular
reflejos, los *(pl.)*	reflexes	reflets, les	reflexos, os
estrategia, la	strategy	stratégie, la	estratégia, a
imaginación, la	imagination	imagination, l'	imaginação, a
habilidad, la	skill	habileté, l'	habilidade, a
actividad física, la	physical activity	activité physique, l'	atividade física, a
desarrollo, el	development	développement, le	desenvolvimento, o
adicción, la	addiction	accoutumance, l'	vício, o
dominar	to take over / control	dominer	dominar
5. A debate			
argumento, el	argument	argument, l'	argumento, o

MI VOCABULARIO ESENCIAL

	ENGLISH	FRANÇAIS	PORTUGUÊS
defensor/a, el / la	defender	défenseur/-euse	defensor/a
PROS Y CONTRAS DE LOS VIDEOJUEGOS			
memoria, la	memory	mémoire, la	memória, a
compartir	to share	partager	compartilhar
perder	to lose	perdre	perder
estar enganchado/-a	to be hooked on	être accro	estar viciado/-a
aislarse de	to become isolated	s'isoler	isolar-se de
concentración, la	concentration	concentration, la	concentração, a
PUNTOS DE VISTA Y ARGUMENTOS			
ayudar a	to help (to)	aider à	ajudar a
desarrollar	to develop	développer	desenvolver
coordinación, la	coordination	coordination, la	coordenação, a
limitar	to limit	limiter	limitar
violencia, la	violence	violence, la	violência, a
6. El juego de la bola			
palo, el	stick	bâton, le	pau, o
explicar	to explain	expliquer	explicar
fallar	to miss	échouer	falhar
saque, el	service / serve	service, le	saque, o
meter en	to put in	mettre dans	meter em
partido, el	game	match, le	partida, a
circo, el	circus	cirque, le	circo, o
raqueta, la	racquet	raquette, la	raquete, a
red, la	net	filet, le	rede, a
tiro, el	shot	tir, le	tiro, o
esgrima, la	fencing	escrime, l'	esgrima, a
equitación, la	horse-riding	équitation, l'	equitação, a
avanzar	to advance	avancer	avançar
casilla, la	square	case, la	casa, a
bola, la	ball	boule, la	bola, a
expulsado/-a	sent off	expulsé/e	expulsado/-a
turno, el	turn	tour, le	vez, a
tirar (el dado)	to throw (dice)	jeter (le dé)	jogar (o dado)
EXPLICAR EL OBJETIVO DE ALGO			
consistir en	to consist of / to involve	consister à	consistir em
conseguir *(i)*	get / to manage to	réussir, obtenir	conseguir
carta, la	card	carte, la	carta, a
tratarse de	to be about (something)	s'agir de	é sobre
ORACIONES RELATIVAS CON PREPOSICIÓN			
golpear (una bola)	to hit (a ball)	frapper (une balle)	bater (uma bola)
PALABRAS Y REGLAS			
árbitro/-a, el / la	referee	arbitre, l'	árbitro, o / a
pitar una falta	to whistle for a foul	siffler une faute	marcar uma falta
empatar	to draw / to tie	égaliser	empatar
tirar (un balón)	to shoot (a ball)	lancer (un ballon)	sacar (uma bola)
marcar (un gol)	to score (a goal)	marquer (un but)	marcar (um gol)
equipo rival, el	rival team	équipe rivale, l'	equipe rival, a
hacer *(g)* **una falta**	to commit a foul	faire une faute	fazer *(g)* uma falta
portero/-a, el / la	goalkeeper	gardien/-ienne de but, le / la	goleiro/-a, o / a
portería, la	goal	but, le (lieu)	meta, a
campo (de fútbol...), el	(football) pitch	terrain (football...), le	campo (de futebol...), o
pista, la (de tenis, de baloncesto...)	(tennis, basketball) court	terrain, le (de tennis, de basket...)	quadra, a (de tênis, de basquete,...)

	ENGLISH	FRANÇAIS	PORTUGUÊS
LA REVISTA			
enfrentar	to face	affronter	enfrentar
seguidor/a, el / la	supporter / fan / follower	supporter, le / la	fã, o / a
uniforme, el	kit	uniforme, l'	uniforme, o
estadio, el	stadium	stade, le	estádio, o
selección (nacional), la	(national) team	sélection (nationale), la	seleção (nacional), a
apodo, el	nickname	surnom, le	apelido, o
aficionado/-a, el / la	supporter	amateur, l'	torcedor/-a, o / a
costoso/-a	expensive	coûteux/-euse	caro/-a
atravesar *(ie)*	to go through	traverser	atravessar
puntuación, la	score	points, les	pontuação, a

MI VOCABULARIO A-Z

	ENGLISH	FRANÇAIS	PORTUGUÊS
¡anda!	come on!	allez !	caramba!
¡ayuda!	help!	au secours !	socorro!
¡qué aburrimiento!	how boring!	quel ennui !	que chatice!
¡qué bien!	great!	super	que bom!
¡qué daño!	that hurts!	quelle douleur !	que dor!
¡qué divertido!	what fun!	que c'est amusant !	que divertido!
¡qué fuerte!	wow! / that's amazing!	c'est incroyable	nossa!
¡qué miedo!	how frightening / scary	quelle peur !	que medo!
¡qué suerte!	how lucky!	quelle chance !	que sorte!
¡qué susto!	what a fright!	quelle peur !	que susto!
¡seguro que sí!	of course!	c'est sûr !	com certeza!
¿de verdad?	really?	c'est vrai !	verdade?
¿en serio?	are you serious?	sérieusement ? sans blague ?	sério?
¿qué pasó?	what happened?	que s'est-il passé ?	o que aconteceu?
¿qué te pasa?	what's wrong	qu'est-ce qu'il t'arrive ?	o que está acontecendo com você?
a caballo	on horseback	à cheval	a cavalo
a lo mejor	maybe	peut-être	pode ser que sim
a menudo	often / a lot	souvent	com frequência
a partir de	from	à partir de	a partir de
a pie	on foot	à pied	a pé
abandonar	to leave	abandonner	abandonar
aceptar	to accept	accepter	aceitar
acera, la	pavement	trottoir, le	calçada, a
acercarse a	to approach	s'approcher	aproximar-se a
acertar	to get (it) right	trouver, réussir	acertar
acosador/a, el / la	bully	harceleur/-euse, le / la	assédiador/a, o / a
acoso escolar, el	bullying	harcèlement scolaire, le	assédio escolar, o
actividad física, la	physical activity	activité physique, l'	atividade física, a
activo/-a	active	actif/ive	ativo/-a
adicción, la	addiction	accoutumance, l'	vício, o
adivinar	to guess	deviner	adivinhar
adolescencia, la	adolescence	adolescence, l'	adolescência, a
afectar	to affect	affecter	afetar
aficionado/-a, el / la	supporter	amateur, l'	torcedor/-a, o / a
agencia (de viajes), la	travel agency	agence (de voyages), l'	agência (de viagem), a
agujero, el	hole	trou, le	orifício, o
ahora mismo	right now	tout de suite	agora mesmo
aislado/-a	isolated	isolé/e	isolado/-a
aislarse de	to isolate oneself	s'isoler	isolar-se de
al azar	at random / randomly	hasard, le	aleatório
al final	in the end	à la fin	no fim
alegre	happy	joyeux/-euse	alegre
alojamiento, el	accommodation	hébergement, l'	alojamento, o
alquiler, el	rental	location, la	aluguel, o
ambulancia, la	ambulance	ambulance, l'	ambulância, a
amistad, la	friendship	amitié, l'	amizade, a
ancho, el	width	largeur, la	largura, a
animal marino, el	marine animal	animal marin, l'	animal marinho, o
anoche	last night	hier soir	à noite
anochecer	to get dark	commencer à faire nuit	anoitecer

	ENGLISH	FRANÇAIS	PORTUGUÊS
anotar	to note down	annoter	anotar
antepasados, los *(pl.)*	ancestors	ancêtres, les	antepassados, os
anuncio, el	advertisement (advert)	annonce, l'	anúncio, o
apagar	to switch off / to put out	éteindre	desligar
aparato, el	device	appareil, l'	aparelho, o
aparcar	to park	se garer	estacionar
apartar	to set aside	écarter, retirer	separar
aplicación, la	application	application, l'	aplicativo, o
apodo, el	nickname	surnom, le	apelido, o
apoyo, el	support	soutien, le	apoio, o
aprovechar	to use	profiter	aproveitar
aproximadamente	approximately	approximativement	aproximadamente
árbitro/-a, el / la	referee	arbitre, l'	árbitro, o / a
archipiélago, el	archipelago	archipel, l'	arquipélago, o
arder	to burn	brûler	arder
argumento, el	argument	argument, l'	argumento, o
asesino/-a, el / la	murderer	assassin, l'	assassino/-a, o / a
aterrizar	to land	atterrir	aterrissar
atmósfera, la	atmosphere	atmosphère, l'	atmosfera, a
atontado/-a	scatterbrained	abruti/e	tonto/-a
atravesar *(ie)*	to go through	traverser	atravessar
atrevido/-a	daring	audacieux/-euse	atrevido/-a
aumentar	to increase	augmenter	aumentar
aumento, el	increase / rise	augmentation, l'	aumento, o
autoestima, la	self-esteem	estime de soi, l'	autoestima, a
autoridad, la	authority	autorité, l'	autoridade, a
avanzar	to advance	avancer	avançar
ave, el	bird	oiseau, l'	ave, a
ayudar a	to help (to)	aider à	ajudar a
ayuntamiento, el	town hall / city council	mairie, la	prefeitura, a
balcón, el	balcony	balcon, le	varanda, a
bandera, la	flag	drapeau, le	bandeira, a
barco de vela, el	sailing boat	bateau à voile, le	barco a vela, o
bello/-a	beautiful	beau/belle	belo/-a
bola, la	ball	boule, la	bola, a
bolsa de plástico, la	plastic bag	sac plastique, le	saco de plástico, o
bolsillo, el	pocket	poche, la	bolso, o
bombero/-a, el / la	firefighter	pompier, le	bombeiro/-a, o / a
bruja, la	witch	sorcière, la	bruxa, a
bucear	to dive	plonger	mergulhar
búsqueda, la	search	recherche, la	pesquisa, a
caer(le) bien / mal	to like / dislike	trouver quelqu'un sympathique / antipathique	ir com a cara / não ir com a cara
caerse *(*)*	to fall	tomber	cair
cajero automático, el	cash machine / ATM	guichet automatique, le	caixa eletrônico, o
calculadora, la	calculator	calculatrice, la	calculadora, a
calentamiento global, el	global warming	réchauffement mondial, le	aquecimento global, o
cambio climático, el	climate change	changement climatique, le	mudança climática, a
cambio de humor, el	mood swing	changement d'humeur, le	mudança de humor, a
caminante, el / la	walker	marcheur/-euse, le / la	caminhante, o / a
caminar	to walk	marcher	caminhar
campaña, la	campaign	campagne, la	campanha, a
campo (de fútbol...), el	(football) pitch	terrain (football...), le	campo (de futebol...)
canal, el	canal	canal, le	canal, o
capa de ozono, la	ozone layer	couche d'ozone, la	camada de ozônio, a

	ENGLISH	FRANÇAIS	PORTUGUÊS
carta, la	card	carte, la	carta, a
cartel, el	poster	affiche, l'	cartaz, o
casa rural, la	farmhouse accommodation	maison rurale, la	casa rural, a
casarse	to get married	se marier	casar
casilla, la	square	case, la	casa, a
caza, la	hunting	chasse, la	caça, a
cazar	to hunt	chasser	caçar
celoso/-a	jealous	jaloux/-ouse	ciumento/-a
cerebro, el	brain	cerveau, le	cérebro, o
chip, el	chip	puce, la	chip, o
cicatriz, la	scar	cicatrice, la	cicatriz, a
circo, el	circus	cirque, le	circo, o
circular	move around	circulaire	circular
circular *(adj.)*	circular	circulaire	circular
cliente, el / la	customer	client/e, le / la	cliente, o / a
coger	to take	prendre	pegar
colgar *(ue)* **(en internet)**	to post (on the Internet)	poster sur Internet	colocar (na Internet)
columna, la	column	colonne, la	coluna, a
combustible, el	fuel	combustible, le	combustível, o
comentar	to comment / to remark	commenter, faire un commentaire	comentar
comparar	to compare	comparer	comparar
compartir	to share	partager	compartilhar
competir *(i)*	to compete	participer, concourir	competir
completamente	completely	complètement	completamente
comprobar *(ue)*	to check	vérifier	comprovar
comunicación, la	communication	communication, la	comunicação, a
comunidad autónoma, la	autonomous community	communauté autonome, la	comunidade autônoma, a
concentración, la	concentration	concentration, la	concentração, a
concienciar	to raise awareness	faire prendre conscience	conscientizar
consecuencia, la	consequence	conséquence, la	consequência, a
conseguir *(i)*	to get / to manage to	réussir, obtenir	conseguir
consistir en	to consist of / to involve	consister dans	consistir em
consola, la	(games) console	console, la	console, a
construcción, la	construction	construction, la	construção, a
consultar	to look up / to consult	consulter	consultar
consumidor/a, el / la	consumer	consommateur/-trice, le / la	consumidor/a, o / a
consumir	to consume	consommer	consumir
consumo, el	consumption	consommation, la	consumo, o
contaminación, la	pollution	pollution, la	poluição, a
contaminante	pollutant	polluant/e	poluente
contaminar	to pollute	polluer	poluir
contestar	to answer	répondre	responder
contraseña, la	password	mot de passe, le	senha, a
controlar	to control	contrôler	controlar
convencer	to convince	convaincre	convencer
convertirse en *(ie)*	to turn into	devenir	transformar-se em
convivir	to coexist	cohabiter	conviver
convocar	to announce	convoquer	convocar
cooperar	to cooperate	coopérer	cooperar
coordinación, la	coordination	coordination, la	coordenação, a
copiar	to copy	copier	copiar
costa, la	coast	côte, la	costa, a
costoso/-a	expensive	coûteux/-euse	caro/-a
crimen, el	crime	crime, le	crime, o

	ENGLISH	FRANÇAIS	PORTUGUÊS
crítico/-a	judgemental	critique	crítico/-a
crucigrama, el	crossword	mots croisés, les	palavras cruzadas, as
cuerpo, el	body	corps, le	corpo, o
cuestionar	to question	questionner, contester	questionar
cueva, la	cave	grotte, la	cova, a
curar	to cure	guérir	curar
curiosidad, la	curiosity	curiosité, la	curiosidade, a
curioso/-a	curious	curieux/-euse	curioso/-a
dado, el	dice	dé, le	dado, o
dar recuerdos	to give regards	envoyer ses amitiés	mandar lembranças
darse cuenta	to realise	se rendre compte	perceber
de pronto	suddenly	tout à coup	de repente
de repente	suddenly	soudain	de repente
deberías	you should	tu devrais	deveria
defecto, el	imperfection	défaut, le	defeito, o
defensor/a, el / la	defender	défenseur/-euse	defensor/a
dejar (dar permiso)	to allow (give permission)	laisser (donner la permission)	deixar (autorizar)
dejar (poner)	to leave (to put)	laisser	deixar (pôr)
dejar (prestar)	to loan (to lend)	laisser (prêter)	deixar (emprestar)
dejar de	to stop	arrêter de	deixar de
dentro de	in	dans	dentro de
denunciar	to report	dénoncer	denunciar
departamento, el	department	département, le	departamento, o
depende de	it depends on	cela dépend de	depende de
desagradable	unpleasant	désagréable	desagradável
desaparecer (zc)	to disappear	disparaître	desaparecer
desaparición, la	disappearance / extinction	disparition, la	desaparição, a
desarrollar	to develop	développer	desenvolver
desarrollo, el	development	développement, le	desenvolvimento, o
desastre natural, el	natural disaster	catastrophe naturelle, la	desastre natural, o
desayunar	to have breakfast	prendre le petit déjeuner	tomar o café da manhã
despacio	slowly	doucement	devagar
destrucción, la	destruction	destruction, la	destruição, a
destruir *(y)*	to destroy	détruire	destruir
detener *(g) (ie)*	to stop	arrêter	deter
diálogo, el	dialogue	dialogue, le	diálogo, o
difundir	to spread	diffuser	difundir
diseño, el	design	dessin, le / conception, la	desenho, o
disfrazarse	to dress up	se déguiser	fantasiar-se
disfrutar	to enjoy	profiter, passer du bon temps	aproveitar
disminuir *(y)*	to decrease	diminuer	diminuir
dispositivo, el	device	dispositif, le	dispositivo, o
distinto/-a	different	distinct/e	diferente
dominar	to take over / control	dominer	dominar
durar	to last	durer	durar
economía, la	economy	économie, l'	economia, a
educar	to educate	éduquer	educar
emoción, la	emotion	émotion, l'	emoção, a
emocionante	exciting	excitant/e	emocionante
empatar	to draw	égaliser	empatar
empezar *(ie)* **a**	to start	commencer à	começar a
empollón/a	swot / geek	bûcheur/-euse	CDF
empresa, la	company	entreprise, l'	empresa, a
en fila	in a line	en file	em fila
en peligro de extinción	at risk of extinction	en danger d'extinction	em perigo de extinção
encantado/-a	haunted	ravi/e	encantado/-a

	ENGLISH	FRANÇAIS	PORTUGUÊS
encantador/a	charming	charmant/e	encantador/a
encargado/-a, el / la	(person) in charge	chargé/e, le / la	encarregado/-a, o / a
encontrarse *(ue)*	to meet	se trouver	encontrar-se
energía renovable, la	renewable energy	énergie renouvelable, l'	energia renovável, a
enfadarse	to get angry	se fâcher	ficar chateado/-a
enfado, el	anger	colère, la	chateação, a
enfermedad grave, la	serious illness	maladie grave, la	doença grave, a
enfrentar	to face	affronter	enfrentar
engañar	to trick	tromper	enganar
entender *(ie)*	to understand	comprendre	entender
entorno, el	setting / surroundings	milieu, le	ambiente, o
entrada, la	entrance	entrée, l'	entrada, a
entrega, la	hand back (paper / exam)	remise, la	entrega, a
enviar	to send	envoyer	enviar
envoltorio, el	package / wrapper	emballage, l'	embalagem, a
envolver *(ue)*	to wrap	envelopper	envolver
equilibrado/-a	balanced	équilibré/e	equilibrado/-a
equipo rival, el	rival team	équipe rivale, l'	equipe rival, a
equitación, la	horse-riding	équitation, l'	equitação, a
era digital, la	digital age	ère numérique, l'	era digital, a
error, el	error	erreur, l'	erro, o
escala, la	stopover	escale, l'	escala, a
esconder	to hide	cacher	esconder
esgrima, la	fencing	escrime, l'	esgrima, a
eslogan, el	slogan	slogan, le	slogan, o
especie, la	species	espèce, l'	espécie, a
espejo, el	mirror	miroir, le	espelho, o
esperar	to wait for	attendre	esperar
estadio, el	stadium	stade, le	estádio, o
estado de ánimo, el	mood	état d'esprit, l'	estado de ânimo, o
estar asustado/-a	to be frightened	être effrayé/e	estar assustado/-a
estar de acuerdo con	to agree with	être d'accord avec	estar de acordo com
estar de buen / mal humor	to be in a good mood / bad mood	être de bonne / mauvaise humeur	estar de bom / mau humor
estar desierto/-a	to be deserted	être désert/e	estar deserto/-a
estar enganchado/-a	to be hooked on	être accro	estar viciado/-a
estar harto/-a	to be fed up (with)	en avoir assez	estar cansado/-a
estar lleno/-a	to be full	être plein/e	estar cheio/-a
estar perdido/-a	to be lost	être perdu/e	estar perdido/-a
estar prohibido	to be forbidden	être interdit	estar proibido
estar resfriado/-a	to have a cold	être enrhumé/e	estar resfriado/-a
estatua, la	statue	statue, la	estátua, a
este, el	east	est, l'	leste, o
estilo, el	style	style, le	estilo, o
estimular	to stimulate	stimuler	estimular
estrategia, la	strategy	stratégie, la	estratégia, a
estrecho/-a	narrow	étroit/e	estreito/-a
estricto/-a	strict	strict/e	severo/-a
etapa, la	stage	étape, l'	etapa, a
examen, el	exam	examen, l'	exame, o
excelente	excellent	excellent/e	excelente
exclamar	to exclaim	s'exclamer	exclamar
excusa, la	excuse	excuse, l'	desculpa, a
experiencia, la	experience	expérience, l'	experiência, a
experimento, el	experiment	expérimentation, l'	experiência, a
explicar	to explain	expliquer	explicar
explosión, la	explosion	explosion, l'	explosão, a

	ENGLISH	FRANÇAIS	PORTUGUÊS
expresar los sentimientos	to express (one's) feelings	exprimer les sentiments	expressar os sentimentos
expulsado/-a	sent off	expulsé/e	expulsado/-a
extraño/-a	strange	étrange	estranho/-a
extraordinario/-a	extraordinary	extraordinaire	extraordinário/-a
fábrica, la	factory	usine, l'	fábrica, a
fabricación, la	manufacture / production	fabrication, la	fabricação, a
fallar	to miss	échouer	falhar
fantasma, el	ghost	fantôme, le	fantasma, o
ficha, la	counter	fiche, la	ficha, a
finalidad, la	purpose	finalité, la	finalidade, a
finalmente	finally	finalement	finalmente
fomentar	to encourage / to promote	encourager, fomenter	promover
frontera, la	border	frontière, la	fronteira, a
funcionar	to work	fonctionner	funcionar
gas, el	gas	gaz, le	gás, o
gasolina, la	petrol	essence, l'	gasolina, a
girar	to turn	tourner	virar
golpe de estado, el	coup d'état	coup d'État, le	golpe de estado, o
golpear (una bola)	to hit (a ball)	frapper (une balle)	bater (uma bola)
gran almacén, el	department store	grand magasin, le	shopping center, o
gritar	to shout	crier	gritar
grito, el	scream / cry	cri, le	grito, o
habilidad, la	skill	habileté, l'	habilidade, a
hacer *(g)* **una falta**	to commit a foul	faire une faute	fazer uma falta
hasta ahora	up to now	jusqu'à présent	até agora
hembra, la	female	femelle, la	fêmea, a
hielo, el	ice	glace, la	gelo, o
humanitario/-a	humanitarian	humanitaire	humanitário/-a
humo, el	smoke	fumée, la	fumaça, a
idealista	idealist	idéaliste	idealista
identidad, la	identity	identité, l'	identidade, a
identificarse	to identify oneself	s'identifier	identificar-se
imaginación, la	imagination	imagination, l'	imaginação, a
imaginativo/-a	imaginative	imaginatif/-ive	criativo/-a
impaciente	impatient	impatient/e	impaciente
impresora, la	printer	imprimante, l'	impressora, a
impulsar	to encourage	encourager	incentivar
incluir (y)	to include	inclure	incluir
indefinido/-a	unlimited	indéfini/e	indefinido/-a
independiente	independent	indépendant/e	independente
indígena, el / la	native	indigène, l'	indígena, o / a
individualmente	individually	individuellement	individualmente
industria, la	industry	industrie, l'	indústria, a
infantil	childish	infantile	infantil
influencia, la	influence	influence, l'	influência, a
influir *(y)*	to influence	influer	influir
informar	to inform	informer	informar
ingeniero/-a, el / la	engineer	ingénieur, le / la	engenheiro/-a, o / a
iniciativa, la	initiative	initiative, l'	iniciativa, a
inmaduro/-a	immature	immature	imaturo/-a
inmediato/-a	immediate	immédiat/e	imediato/-a
insecto, el	insect	insecte, l'	inseto, o
inseguro/-a	insecure	peu sûr/e de soi	inseguro/-a
instrucciones, las *(pl.)*	instructions	instructions, les	instruções, as
integrarse	to become integrated	s'intégrer	integrar-se
intentar	to aim to	essayer	tentar
invento, el	invention	invention, l'	invenção, a

MI VOCABULARIO A-Z

	ENGLISH	FRANÇAIS	PORTUGUÊS
investigación, la	research	recherche, la	pesquisa, a
invitación, la	invitation	invitation, l'	convite, o
irresponsable	irresponsible	irresponsable	irresponsável
itinerario, el	itinerary	itinéraire, l'	itinerário, o
juego de mesa, el	board game	jeu de société, le	jogo de mesa, o
jugador/a, el / la	player	joueur/-euse, le / la	jogador/a, o / a
jugar al escondite	to play hide and seek	jouer à cache-cache	brincar de esconde-esconde
jugar al pillapilla	to play tag	jouer à chat	brincar de pega-pega
lago, el	lake	lac, le	lago, o
lanzar (una campaña)	to launch (a campaign)	lancer (une campagne)	lançar (uma campanha)
limitar	to limit	limiter	limitar
límite, el	limit	limite, la	limite, o
llave, la	key	clé, la	chave, a
llegar puntual	to be on time	être ponctuel/-uelle	ser pontual
llenarse de	to fill up with	se remplir de	encher de
llevar la iniciativa	to take the initiative	prendre l'initiative	ter a iniciativa
llevarse bien / mal	to get on well / badly	s'entendre bien / mal	dar-se bem / mal
llorar	to cry	pleurer	chorar
llover *(ue)*	to rain	pleuvoir	chover
lluvia, la	rain	pluie, la	chuva, a
loco/-a	mad / crazy	fou/folle	louco/-a
logo(tipo), el	logo	logo(type), le	logo(tipo), o
longitud, la	length	longueur, la	longitude, a
luz, la	light	lumière, la	luz, a
macho, el	male	mâle, le	macho, o
maduro/-a	mature	mûr/e	maduro/-a
manipular	to manipulate	manipuler	manipular
manualidades, las *(pl.)*	crafts	travaux manuels, les	trabalhos manuais, os
marca, la	brand	marque, la	marca, a
marcar (un gol)	to score (a goal)	marquer (un but)	marcar (um gol)
marginado/-a	marginalised / alienated	marginal/e	marginalizado/-a
material, el	material(s)	matériel, le / matériau, le	material, o
mayor que	older than	plus âgé/e que	maior que
media noche, la	midnight	minuit	meia noite, a
médico/-a, el / la	doctor	médecin, le	médico/-a, o / a
medio ambiente, el	environment	environnement, l'	meio ambiente, o
medio de transporte, el	means of transport	moyen de transport, le	meio de transporte, o
mejor amigo/-a, el / la	best friend	meilleur/e ami/e, le / la	melhor amigo/-a, o / a
memoria, la	memory	mémoire, la	memória, a
mensaje, el	message	message, le	mensagem, a
mentira, la	lie	mensonge, le	mentira, a
meter en	to put in	mettre dans	meter em
moda, la	fashion	mode, la	moda, a
modelo, el / la	model	modèle, le / la	modelo, o / a
molestar	to bother / to disturb	déranger	incomodar
monstruo, el	monster	monstre, le	monstro, o
montañoso/-a	mountainous	montagneux/-euse	montanhoso/-a
monumento, el	monument	monument, le	monumento, o
mosquito, el	mosquito	moustique, le	mosquito, o
muerto/-a, el / la	dead person	mort/e, le / la	morto/-a, o / a
muralla, la	wall	muraille, la	muralha, a
narrador/a, el / la	narrator	narrateur/-trice, le / la	narrador/a, o / a
naturaleza, la	nature	nature, la	natureza, a
nervioso/-a	nervous	nerveux/-euse	nervoso/-a
no me importa	I don't mind	ça ne me gêne pas	não me importo
no tener ni idea	to have no idea	n'en avoir aucune idée	não ter nem ideia
noble *(adj.)*	noble / kind	noble (adj.)	nobre

	ENGLISH	FRANÇAIS	PORTUGUÊS
norma, la	rule	norme, la	norma, a
norte, el	north	nord, le	norte, o
notar	to notice	remarquer	notar
noticia, la	news	nouvelle, la	notícia, a
obtener	to obtain / to get	obtenir	obter
ocurrir	to happen	se passer, survenir	acontecer
oeste, el	west	ouest, l'	oeste, o
opción, la	option	option, l'	opção, a
opinión, la	opinion	opinion, l'	opinião, a
organización, la	organisation	organisation, l'	organização, a
orilla, la	shore	rivage, le	beira, a
oscuridad, la	dark	obscurité, l'	escuridão, a
paisaje, el	landscape / scenery	paysage, le	paisagem, a
palo, el	post / stick / club	le bâton	pau, o
paloma, la	pigeon	colombe, la	pomba, a
palomitas, las *(pl.)*	popcorn	pop-corn, le	pipocas, as
papel reciclado, el	recycled paper	papier recyclé, le	papel reciclado, o
parchís, el	*Spanish board game similar to Ludo and Pachisi*	jeu de petits chevaux, le	jogo de mesa espanhol
parecer(le) justo / injusto	to seem fair / unfair	sembler juste / injuste à quelqu'un	parecer(lhe) justo / injusto
parecido/-a	similar	semblable	parecido/-a
pared, la	wall	mur, le	parede, a
parejas, las *(pl.)*	pairs	paires, les	pares, os
parque natural, el	natural park	parc naturel, le	parque natural, o
participar en	to participate / take part in	participer à	participar de
partida, la	game	partie, la	partida, a
partido, el	game	match, le	partida, a
pasar (algo)	to happen (something)	se passer	acontecer (algo)
pasar (tiempo) en	to spend time (in)	passer du temps à	passar (tempo) em
pasar miedo	to be scared	avoir peur	ter medo
pasar por	to go through	passer par	passar por
pasar(le) (algo a alguien)	to happen (something to someone)	arriver (quelque chose à quelqu'un)	acontecer (algo a alguém)
pasarlo bien / mal	to have a good time / bad time	s'amuser / ne pas s'amuser	divertir-se /passar mal
patines, los *(pl.)*	skates	patins, les	patins, os
pedir ayuda	to ask for help	demander de l'aide	pedir ajuda
peinar	to comb / to brush (hair)	peigner	pentear
peligroso/-a	dangerous	dangereux/-euse	perigoso/-a
perder	to lose	perdre	perder
perderse *(ie)*	to get lost	se perdre	perder-se
perdonar	to forgive	pardonner	perdoar
perfecto/-a	perfect	parfait/e	perfeito/-a
periódico, el	newspaper	journal, le	jornal, o
periodista, el / la	journalist	journaliste, le / la	jornalista, o / a
perjudicar	to harm	nuire	prejudicar
persona famosa, la	famous person	célébrité, la	pessoa famosa, a
personalidad, la	personality	personnalité, la	personalidade, a
pesca, la	fishing	pêche, la	pesca, a
pescador/a, el / la	fisherman / fisherwoman	pêcheur/euse, le / la	pescador/a, o / a
pintoresco/-a	picturesque	pittoresque	pitoresco/-a
pirata, el / la	pirate	pirate, le / la	pirata, o / a
pisar el césped	to walk on the grass	marcher sur la pelouse	pisar a grama
pista, la	clue	piste, la	pista, a
pista, la (de tenis, de baloncesto...)	(tennis, basketball) court	terrain, le (de tennis, de basket...)	quadra, a (de tênis, de basquete,...)
pitar una falta	to whistle for a foul	siffler une faute	marcar uma falta

	ENGLISH	FRANÇAIS	PORTUGUÊS
planeta, el	planet	planète, la	planeta, o
policía, la	police	police, la	polícia, a
polo, el	pole	pôle, le	polo, o
poner *(g)* **(colocar)**	to put (to place)	mettre	pôr (colocar)
ponerse (ropa)	to put on (clothes)	se mettre (des vêtements)	vestir (roupa)
ponerse nervioso/-a	to get into a state / to get nervous	s'énerver	ficar nervoso/-a
portería, la	goal	but, le (lieu)	meta, a
portero/-a, el / la	goalkeeper	gardien/-ienne de but, le / la	goleiro/-a, o / a
postal, la	postcard	carte postale, la	postal, a
practicar	to practise	pratiquer	praticar
preocuparse por	to be worried about	se préoccuper pour	preocupar-se por
preparado/-a	prepared	préparé/e	preparado/-a
preparar	to prepare	préparer	preparar
presupuesto, el	budget	devis, le	orçamento, o
prevenir *(g) (ie)*	to prevent	prévenir	prevenir
producción, la	production	production, la	produção, a
producir *(zc)*	to produce	produire	produzir
profundo/-a	deep	profond/e	profundo/-a
pronto	soon	bientôt	logo
propuesta, la	proposal / suggestion	proposition, la	proposta, a
protagonista, el / la	the main character	personnage principal, le	protagonista, o / a
protección, la	protection	protection, la	proteção, a
protector/a, el / la	protector	protecteur/-trice, le / la	protetor/a, o / a
protegerse de	to protect oneself from	se protéger	proteger-se de
provincia, la	province	province, la	estado, o
publicar (en internet)	to publish (on the Internet)	publier sur Internet	publicar (na Internet)
publicidad, la	advertising	publicité, la	publicidade, a
público, el	audience	public, le	público, o
puño, el	score	points, les	pontuação, a
puntuación, la	fist	poing, le	punho, o
quedarse en	to meet at / in	se retrouver, avoir rendez-vous	ficar em
quieto/-a	still / calm	calme	quieto/-a
quitarse las gafas	to take off one's glasses	enlever ses lunettes	tirar os óculos
quizá	maybe / perhaps	peut-être	talvez
rápidamente	quickly	rapidement	rapidamente
raqueta, la	racquet	raquette, la	raquete, a
realista	realistic	réaliste	realista
recargar	to charge (up)	recharger	recarregar
recibir	to receive	recevoir	receber
reciclaje, el	recycling	recyclage, le	reciclagem, a
reciclar	to recycle	recycler	reciclar
recoger	to pick up	ramasser	recolher
recordar *(ue)*	to remember	rappeler, se rappeler	lembrar
recorrer	to travel around	parcourir	percorrer
recorrido, el	route	parcours, le	percurso, o
recuperación, la	recovery	récupération, la	recuperação, a
red, la	net	filet, le	rede, a
reducir *(zc)*	to reduce	réduire	reduzir
referente, el	model / guide	référence, la	referente, o
reflejos, los *(pl.)*	reflexes	reflets, les	reflexos, os
regalar	give as a present	offrir	dar de presente
región, la	region	région, la	região, a
regresar a	to return to	retourner, revenir à	voltar a
relación, la	relationship	relation, la	relação, a

	ENGLISH	FRANÇAIS	PORTUGUÊS
reserva, la	reserve	réserve, la	reserva, a
reservar	to reserve	réserver	reservar
residuo, el	waste / rubbish	déchet, le	resíduo, o
respeto, el	respect	respect, le	respeito, o
responder	to answer	répondre	responder
responsable	responsible	responsable	responsável
revisión, la	revision	révision, la	revisão, a
rincón, el	corner	coin, le	canto, o
riqueza, la	richness	richesse, la	riqueza, a
robot, el	robot	robot, le	robô, o
rodear	to surround	entourer	rodear
rosa, la	rose	rose, la	rosa, a
ruta, la	route	route, la	rota, a
sacar (la pelota)	to serve	servir	sacar (a bola)
salida, la	exit / way out	sortie, la / débouché, le	saída, a
salir *(g)* **con**	to go out with	sortir avec	sair com
saludable	healthy	sain/e	saudável
sanidad, la	health	santé, la	saúde, a
saque, el	service / serve	service, le	saque, o
sección, la	department	rayon, le	seção, a
seguidor/a, el / la	supporter	supporter, le / la	fã, o / a
seguramente	probably	sûrement	com certeza
seguro que	definitely / certain that	il est sûr que	com certeza
seguro/-a	sure / confident	sûr/e	seguro/-a
selección (nacional), la	(national) team	sélection (nationale), la	seleção (nacional), a
señalizado/-a	to raise awareness	sensibiliser	sensibilizar
sensibilizar	sensitive	sensible	sensível
sensible	to sit (down)	s'asseoir	sentar-se
sentarse *(ie)*	to feel	être désolé/e	sentir-se
sentirse *(ie)*	signposted	signalisé/e	sinalizado/-a
seño, la	Miss *(colloquial)*	Madame *(langage courrant)*	tia
separarse de	to separate from	se séparer de	separar-se de
ser broma	to be a joke	être une blague	ser brincadeira
ser mono/-a	to be cute	être mignon/-onne	ser bonito/-a
ser obligatorio	to be obligatory	être obligatoire	ser obrigatório
ser una maravilla	to be marvellous	être une merveille	ser uma maravilha
serpiente, la	snake	serpent, le	serpente, a
servir *(i)* **para**	to be used for	servir à	servir para
sexista	sexist	sexiste	sexista
sistema, el	system	système, le	sistema, o
sitio, el	place	site, le	lugar, o
sociedad, la	society	société, la	sociedade, a
solidaridad, la	solidarity	solidarité, la	solidariedade, a
solidario/-a	voluntary	solidaire	solidário/-a
solitario/-a	solitary	solitaire	solitário/-a
sombra, la	shadow	ombre, l'	sombra, a
soñador/a	to smile	sourire	sorrir
sonreír *(*)*	dreamer	rêveur/-euse	sonhador/a
sostenible	sustainable	durable	sustentável
subir la nota	to get a higher grade	remonter sa note	subir a nota
submarinismo, el	scuba diving	plongée sous-marine, la	mergulho, o
sujetar	to hold	tenir	segurar
superficie, la	surface	superficie, la	superfície, a
superhéroe, el / superheroína, la	superhero / superheroine	superhéros, le / superhéroïne, la	super-herói, o super-heroína, a
suponer que	to imagine / suppose that	supposer que	imaginar que
sur, el	south	sud, le	sul, o

MI VOCABULARIO A-Z

	ENGLISH	FRANÇAIS	PORTUGUÊS
tablero, el	board	damier, le	tabuleiro, o
tableta, la	tablet	tablette, la	tablet, o
taller, el	workshop	atelier, l'	oficina, a
tapa, la	cover	couvercle, le	capa, a
tardar	to take (time)	tarder, mettre du temps	demorar
tarea doméstica, la	housework	tâche ménagère, la	tarefa doméstica, a
tarjeta, la	card	carte, la	cartão, o
techo, el	ceiling	plafond, le	teto, o
tecnología, la	technology	technologie, la	tecnologia, a
tener buen / mal carácter	to be bad tempered / good natured	avoir bon / mauvais caractère	ter bom / mau gênio
tener celos de	to be jealous (of)	être jaloux/-ouse de	ter ciúme de
tener cobertura	to have cover / signal	avoir une couverture	ter cobertura
tener contacto con	to be in contact with	être en contact avec	ter contato com
tener derecho a	to have the right to / be entitled to	avoir le droit de	ter direito a
tener fiebre	to have a temperature	avoir de la fièvre	ter febre
tener miedo	to be scared	avoir peur	ter medo
tener planes	to have plans	avoir des projets	ter planos
tener razón	to be right	avoir raison	ter razão
tener sentido del humor	to have a sense of humour	avoir le sens de l'humour	ter sentido do humor
tener tiempo	to have time	avoir le temps	ter tempo
terrible	terrible	terrible	terrível
terrorífico/-a	terrifying	terrifiant/e	terrífico/-a
tierno/-a	sweet	tendre	terno/-a
tirar (algo) al suelo	to throw (something) onto the ground	jeter quelque chose par terre	jogar (algo) no chão
tirar (el dado)	to throw (dice)	jeter (le dé)	jogar (o dado)
tirar (un balón)	to shoot (a ball)	lancer (un ballon)	sacar (uma bola)
tiro, el	shot	tir, le	tiro, o
tocar(le) (el turno)	to be (someone's) turn	être le tour de	ser a vez
tonto/-a	silly	idiot/e	bobo/-a
tortuga, la	tortoise	tortue, la	tartaruga, a
total, que	in the end	bref, en résumé	no fim
totalmente	totally	totalement	totalmente
traer *(*)*	to bring	apporter	trazer
tranquilidad, la	peace	tranquillité, la	tranquilidade, a
tranquilo/-a	calm	tranquille	tranquilo/-a
tratar como	to treat like	traiter comme	tratar como
tratarse de	to be about (something)	s'agir de	é sobre
triste	sad	triste	triste
tristeza, la	sadness	tristesse, la	tristeza, a
turno, el	turn	tour, le	vez, a
una vez	once	une fois	uma vez
uniforme, el	kit	uniforme, l'	uniforme, o
valle, el	valley	vallée, la	vale, o
vergonzoso/-a	shy / timid	honteux/-euse	tímido/-a
verso, el	verse	vers, le	verso, o
veterinario/-a, el / la	veterinarian / vet	vétérinaire, le / la	veterinário/-a, o / a
viejo/-a, el / la	old person	vieux/vieille, le / la	velho/-a, o / a
violencia, la	violence	violence, la	violência, a
violento/-a	violent	violent/e	violento/-a
visitar	to visit	visiter	visitar
volver *(ue)* **de**	to come back from	revenir	voltar de
zona, la	zone	zone, la	zona, a

LA VUELTA AL COLE CAP. 1

¿OS ACORDÁIS DE LA PEÑA DEL GARAJE? SON UN GRUPO DE CHICOS Y CHICAS QUE YA CONOCÉIS UN POCO. VIVEN EN UN BARRIO DE LAS AFUERAS DE MADRID Y COMPARTEN MUCHAS COSAS: EL BARRIO Y LA ESCUELA, LA MÚSICA Y SU GRUPO DE HIP-HOP... EN LAS PRÓXIMAS PÁGINAS LES VAMOS A CONOCER MEJOR Y VAMOS A VIVIR CON ELLOS UNA AVENTURA MUY EMOCIONANTE... ESTAMOS A 10 DE SEPTIEMBRE, O SEA, QUE CASI SE HA TERMINADO EL VERANO. EN MADRID TODAVÍA HACE CALOR, PERO CASI TODO EL MUNDO HA VUELTO A LA CIUDAD DESPUÉS DE LAS VACACIONES.

EL CANTANTE DEL GRUPO SE LLAMA ENRIQUE, PERO TODO EL MUNDO LE LLAMA KIKE. TIENE DOS HERMANOS MÁS PEQUEÑOS, AINOA Y LUCAS, CON LOS QUE NO SIEMPRE ESTÁ DE ACUERDO.

RAFA, QUE ES UN POCO PIJO, HA ESTADO EN INGLATERRA HACIENDO UN CURSO DE INGLÉS. AHORA ESTÁ TODO EL TIEMPO CANTANDO EN INGLÉS PARA DEMOSTRAR QUE HA APRENDIDO MUCHO.

HUGO, QUE ES MUY DEPORTISTA, HA ESTADO EN LA MONTAÑA. DICE QUE HA SUBIDO AL ANETO, EN LOS PIRINEOS, ¡A MÁS DE 3400 METROS!!!!

MIGUEL Y SANDRA SE HAN QUEDADO EN MADRID. EL PADRE DE MIGUEL ES TAXISTA Y DICE QUE ÉL NO QUIERE SALIR DE MADRID EN AGOSTO, QUE ES CUANDO SE PUEDE CONDUCIR BIEN Y NO HAY COCHES. PERO COMO HAN VENIDO UNOS DÍAS SUS PRIMOS DE GALICIA Y TAMBIÉN ESTABA SANDRA (SUS PADRES TIENEN UN RESTAURANTE Y SE TOMAN LAS VACACIONES EN INVIERNO), LO HAN PASADO BASTANTE BIEN. CASI TODO EL DÍA EN LA PISCINA, POR LA NOCHE EN LA PLAZA HASTA LAS 12 H, ALGUNA EXCURSIÓN EN BICI...

ELISA HA ESTADO EN IBIZA CON SUS PADRES. HA HECHO UN CURSO DE WINDSURF Y HA CONOCIDO A MUCHOS CHICOS Y CHICAS DE SU EDAD: ALEMANES, ITALIANOS, HOLANDESES... Y HA CONOCIDO A ALEXANDER, UN CHICO ALEMÁN MUY GUAPO.

JAZMÍN HA IDO A MARRUECOS, A CASA DE SU ABUELA. HA SIDO UN VIAJE LARGO PERO MUY BONITO. ALLÍ TIENE UN MONTÓN DE PRIMOS Y TÍOS. LE ENCANTA IR A MARRUECOS Y HABLAR SU LENGUA MATERNA.

TAMBIÉN VIVEN EN EL BARRIO ÁLVARO Y ARTEMIS, PERO NO SON DEL GRUPO MUSICAL. A KIKE LE GUSTA ARTEMIS PERO NO LO SABE NADIE. Y ÁLVARO SIEMPRE ESTÁ DETRÁS DE ELLA...

... Y, CLARO, A KIKE NO LE GUSTA NADA ÁLVARO. SIEMPRE QUIERE SER EL PROTAGONISTA, EL MÁS INTELIGENTE, EL MÁS GUAPO...

(CONTINUARÁ)

ES LUNES Y HOY EMPIEZA EL COLE. LOS DE LA PEÑA Y SUS VECINOS VAN AL MISMO COLEGIO. VAN TODOS EN AUTOCAR Y SALEN DE LA PARADA A LAS 8.40 H. TODOS ESTÁN UN POCO NERVIOSOS PORQUE ES EL PRIMER DÍA DE CLASE. ¿HABRÁ ALGÚN PROFE NUEVO? ¿Y NUEVOS COMPAÑEROS? DICEN QUE YA NO ESTÁ GONZÁLEZ, EL PROFE DE MATES, QUE A TODOS, EL AÑO PASADO, LES CAÍA FATAL... Y QUE LA TUTORA DE 3º DE E.S.O. ES CARMEN, LA PROFESORA DE FRANCÉS, QUE ES MUY MAJA Y SE LLEVA MUY BIEN CON TODOS LOS ALUMNOS. Y ES QUE ENTIENDE LOS PROBLEMAS DE LOS ADOLESCENTES Y SABE ESCUCHAR. SUS CLASES, ADEMÁS, SON MUY DIVERTIDAS: HACEN TEATRO EN FRANCÉS, ESCUCHAN MÚSICA FRANCESA, HACEN MUCHOS TRABAJOS EN GRUPO...

¿ADÓNDE VA ÁLVARO? CAP. 2

EL PRIMER DÍA NO HA IDO MAL. HAY PROFESORES NUEVOS Y, EFECTIVAMENTE, CARMEN, LA PROFESORA DE FRANCÉS, ES LA TUTORA DE LOS DE 3º. HOY NO HAN TRABAJADO MUCHO. LES HAN DADO LOS HORARIOS Y HAN COMENTADO LOS OBJETIVOS DE LAS ASIGNATURAS; LO TÍPICO DEL PRIMER DÍA.

ÁLVARO ES UN CHICO QUE NO CAE MUY BIEN A ALGUNOS DE LOS DE LA PEÑA. HACE DOS AÑOS LLEGÓ AL BARRIO Y AL COLEGIO. Y ES UN POCO CHULO, LA VERDAD. NO HABLA CON CASI NADIE Y CASI SIEMPRE ESTÁ SOLO. ADEMÁS, AHORA KIKE ESTÁ MEDIO ENAMORADO DE ARTEMIS Y LE DA MUCHA RABIA QUE ARTEMIS SEA UNA DE LAS POCAS PERSONAS QUE HABLA CON ÁLVARO. Y ESO QUE SON COMPLETAMENTE DIFERENTES. ÁLVARO ES UN PIJO, QUE SIEMPRE VA VESTIDO CON ROPA DE MARCA Y QUE, SIEMPRE QUE PUEDE, COMENTA QUE SUS PADRES TIENEN DOS COCHES, UN BARCO, UNA CASA MUY GRANDE EN LA PLAYA Y UN APARTAMENTO EN LA SIERRA. ARTEMIS ES COMPLETAMENTE DISTINTA: TIENE MUCHA PERSONALIDAD, VISTE DE UNA FORMA MUY ESPECIAL Y NO LE IMPORTA LA OPINIÓN DE LOS DEMÁS. ÁLVARO NO SE LLEVA MUY BIEN CON LOS DE LA PEÑA, ES VERDAD, PERO HOY TODOS VUELVEN A CASA PREOCUPADOS. ¡TIENEN QUE AVERIGUAR SIN PERDER TIEMPO SI LE HA PASADO ALGO!

(CONTINUARÁ)

EL PADRE DE ÁLVARO CAP.3

LOS DE LA PEÑA DEL GARAJE SE LLAMAN ASÍ PORQUE SE ENCUENTRAN Y ENSAYAN EN EL GARAJE DE KIKE. ES EL TÍPICO GARAJE DE UNA FAMILIA NUMEROSA: ES GRANDE PERO ESTÁ REPLETO DE JUGUETES VIEJOS, DE CAJAS DE HERRAMIENTAS, DE BICICLETAS; DE COSAS DE CUANDO LOS NIÑOS ERAN PEQUEÑOS... LOS PADRES NUNCA GUARDAN EL COCHE Y ASÍ LOS CHICOS TIENEN UN LUGAR FANTÁSTICO PARA REUNIRSE, SIN ADULTOS CERCA. KIKE HA CONSEGUIDO COLOCAR UN SOFÁ Y UNA TELE VIEJA Y LA CONSOLA. TAMBIÉN DEJAN AHÍ TODOS LOS INSTRUMENTOS: LA GUITARRA ELÉCTRICA, UN TECLADO Y LA BATERÍA. PERO HOY NO TIENEN GANAS DE HACER NADA, NI DE TOCAR NI DE HACER DEBERES. ESTÁN TODOS UN POCO PREOCUPADOS POR ÁLVARO.

(CONTINUARÁ)

EL PAQUETE MISTERIOSO CAP.4

¿DÓNDE PUEDE ESTAR ÁLVARO?, SE PREGUNTAN LOS CHICOS. EL SR. GONZÁLEZ, SU PADRE, SE HA COMPORTADO DE UN MODO EXTRAÑO. NO QUERÍA HABLAR CON LOS CHICOS. MIENTRAS JAZMÍN ESTABA HABLANDO CON EL SR. GONZÁLEZ HA SUCEDIDO ALGO MUY RARO: UNO DE LOS MOTORISTAS SOSPECHOSOS HA PASADO LENTAMENTE EN MOTO POR DELANTE DE LA CASA Y HA TIRADO UN PEQUEÑO PAQUETE, PERO SANDRA HA RECONOCIDO AL MOTORISTA: ¡LLEVABA EL MISMO CASCO CON LA CALAVERA! Y RÁPIDAMENTE HA RECOGIDO EL PAQUETE.

PARA LUIS GONZÁLEZ DE SU HIJO Y UNOS AMIGOS

Sr. González:

Nuestra paciencia se está terminando. Deje de hacer el tonto. Nos fastidia mucho que se rían de nosotros y no se lo volveremos a decir. ¿Ya está preparando nuestro "pedido"? Seguramente está a punto de terminarlo, ¿verdad? Recuerde: 10000 helados de nata y chocolate para el viernes. Su hijo está bien (de momento), pero tiene un aspecto un poco triste y está un poco nervioso... Como le han cortado el pelo...

(CONTINUARÁ)

HELADOS PELIGROSOS CAP. 5

KIKE Y SUS AMIGOS HAN DEJADO EL PAQUETE CON EL PELO Y LA CARTA DE LOS SECUESTRADORES EN LA ENTRADA DE LA CASA DE ÁLVARO. ASÍ SU PADRE LO VERÁ. SIN PERDER TIEMPO VAN A REUNIRSE EN EL GARAJE. MIGUEL TIENE EL TELÉFONO MÓVIL DE UNO DE LOS HOMBRES DEL TODOTERRENO. PROBABLEMENTE ESO LES DARÁ ALGUNA IDEA PARA SEGUIR INVESTIGANDO O PARA DECIDIR QUÉ PUEDEN HACER PARA AYUDAR A SU AMIGO Y A SU FAMILIA.

(CONTINUARÁ)

LA PEÑA del GARAJE
EN LA FÁBRICA CAP. 6
LOS CHICOS ESTÁN MUY ASUSTADOS. ESOS TIPOS DEL TODOTERRENO Y DE LAS MOTOS PARECEN PELIGROSOS Y CASI LOS DESCUBREN. ESCONDIDOS DETRÁS DE UNO DE LOS CAMIONES DE LA EMPRESA DE HELADOS, NUESTROS AMIGOS DISCUTEN QUÉ PUEDEN HACER AHORA. Y NO SE PONEN DE ACUERDO. UNOS QUIEREN ENTRAR A VER QUÉ PASA DENTRO DE LA FÁBRICA. OTROS OPINAN QUE ES MEJOR AVISAR A LA POLICÍA O HABLAR CON SUS PADRES.
PUES YO PIENSO QUE ES UNA LOCURA ENTRAR.
DEBERÍAMOS LLAMAR A LA POLICÍA.
A MÍ ME PARECE MUY MAL IRNOS A CASA TAN TRANQUILOS SIN HACER NADA... DEBERÍAMOS SEGUIR INVESTIGANDO.
DE PRONTO ENTRA EN ESCENA ¡EL PADRE DE ÁLVARO! LOS CHICOS INTENTAN ESCUCHAR...
¿YA ESTÁ TODO PREPARADO? LOS HELADOS TIENEN QUE SALIR HOY HACIA LA CORUÑA.
NO TAN DEPRISA. PRIMERO DEBERÍAMOS HABLAR DE MI HIJO, ¿NO? TENDRÉIS LOS HELADOS CUANDO ÁLVARO ESTÉ AQUÍ, A MI LADO...

LAS CAJAS CON LOS 10000 HELADOS ESTÁN EN ESE CAMIÓN. Y LA DROGA ESTÁ DENTRO DE ESTOS CUCURUCHOS...
O SEA, QUE YO YA HE CUMPLIDO CON EL TRATO. PERO AHORA QUIERO A MI HIJO.

DE PRONTO PASA ALGO HORRIBLE...
¡ACHUUUUUUUUUUUUUM...!

¿QUIÉN ANDA AHÍ? GONZÁLEZ, SI HAS AVISADO A LA POLI, DESPÍDETE DE TU HIJITO..

VAMOS, CHICOS, CORRAMOS... POR ESA VENTANA.

CÓMO MOLA. KILOS Y KILOS DE HELADOS... DE FRESA, DE CHOCOLATE, DE NATA...
¿CÓMO PUEDES PENSAR EN HELADOS AHORA, MIGUEL...?

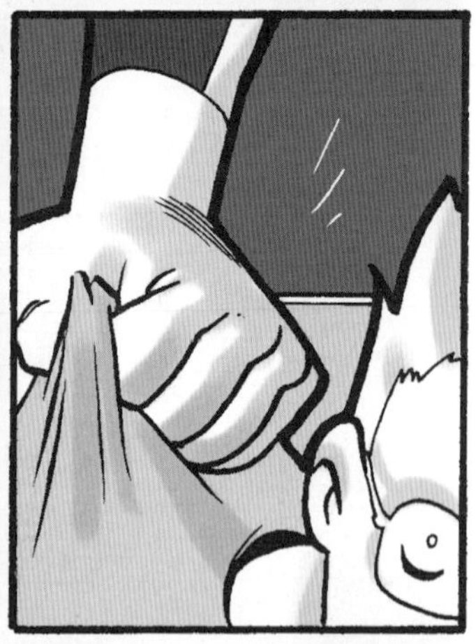

¿CHICO, ADÓNDE VAS TAN DEPRISA?

¡DEBERÍA USTED PROBAR ESTE CHOCOLATE TAN BUENO!!!!
ON

(CONTINUARÁ)

EL SECRETO DE LOS HELADOS GON CAP.7

DENTRO DE LA FÁBRICA DE HELADOS LAS COSAS SE COMPLICAN. EL PADRE DE ÁLVARO SE HA DADO CUENTA DE QUE LOS AMIGOS DE SU HIJO ESTÁN ALLÍ. SU SECRETO VA A SER DESCUBIERTO...

TODO EMPEZÓ HACE ALGUNOS MESES. LA EMPRESA NO IBA BIEN. UNA PEQUEÑA FÁBRICA DE HELADOS NO PODÍA COMPETIR CONTRA LAS GRANDES MULTINACIONALES QUE LLENABAN LA TELEVISIÓN CON PUBLICIDAD DE SUS PRODUCTOS. CADA VEZ TENÍA MÁS DEUDAS. ADEMÁS, LA FAMILIA GONZÁLEZ ESTABA ACOSTUMBRADA A UNA VIDA CARA: COCHES, VIAJES, UNA BONITA CASA... UN DÍA, EL ABOGADO DE LA EMPRESA, IVÁN RAMOS, LLAMÓ A GONZÁLEZ PARA PROPONERLE UNA SOLUCIÓN FÁCIL, PELIGROSA, PERO FÁCIL...

LUIS, ESTO NO PUEDE SEGUIR ASÍ. YA SABES QUE ME ENCANTA TRABAJAR CONTIGO PERO LAS COSAS VAN MUY MAL... YO CREO QUE VAS A TENER QUE CERRAR... Y DESPEDIR A TODO EL MUNDO...

SÍ, LO SÉ... NO PODEMOS HACER NADA, ¿VERDAD?

BANCO

BUENO, YO TENGO UNOS CONOCIDOS QUE NECESITAN TRANSPORTAR DISCRETAMENTE UNA MERCANCÍA A HOLANDA...

ESO SUENA A ILEGAL...

TÚ NO TIENES QUE SABER NADA... DÉJAME ORGANIZARLO A MÍ. SERÁ MUY FÁCIL. UN PEQUEÑO REGALO SORPRESA EN CADA CUCURUCHO DE HELADO. ¡Y YA ESTÁ! ALGO ASÍ, MIRA...

UNAS SEMANAS DESPUÉS, CUANDO YA TODO ESTABA CASI A PUNTO, GONZÁLEZ EMPEZÓ A PONERSE NERVIOSO, A TENER MIEDO...

IVÁN, LO SIENTO, NO PUEDO, NI QUIERO... PREFIERO CERRAR LA FÁBRICA. ODIO COLABORAR CON LA MAFIA DE LAS DROGAS...

LUIS, ES DEMASIADO TARDE. ESTA GENTE NO JUEGA... YO, SI ESTUVIERA EN TU SITUACIÓN, TERMINARÍA...

EFECTIVAMENTE, LOS "SOCIOS" NO SE TOMARON MUY BIEN LAS INTENCIONES DE GÓNZALEZ DE NO SEGUIR CON EL NEGOCIO DE LOS HELADOS.

(CONTINUARÁ)

UN DULCE FINAL...

DENTRO DE LA FÁBRICA SIGUE LA BATALLA DE HELADOS ENTRE LOS CHICOS Y LOS MATONES DE LOS TRAFICANTES. AL PADRE DE ÁLVARO LE HAN ATADO A SU SILLA Y CONTEMPLA LA ESCENA IMPOTENTE, SIN PODER HACER NADA.

DESPUÉS, TODO SUCEDE MUY RÁPIDAMENTE, COMO EN UN SUEÑO. LOS TRAFICANTES, SORPRENDIDOS POR EL RITMO DE LOS ACONTECIMIENTOS, INTENTAN HUIR PERO YA HAN LLEGADO VARIOS COCHES DE POLICÍA. CUBIERTOS DE HELADO Y DE CHOCOLATE NO PARECEN TAN PELIGROSOS COMO ANTES.

YA ESTÁ..., MAMÁ. ¡QUE NO HA PASADO NADA!

¿PERO POR QUÉ OS METÉIS SIEMPRE EN LÍOS? ¡QUÉ SUSTO, DIOS MÍO!